# コロナが変えた世界

Photo by Tsutomu Noda

INTERVIEW インタヴュー

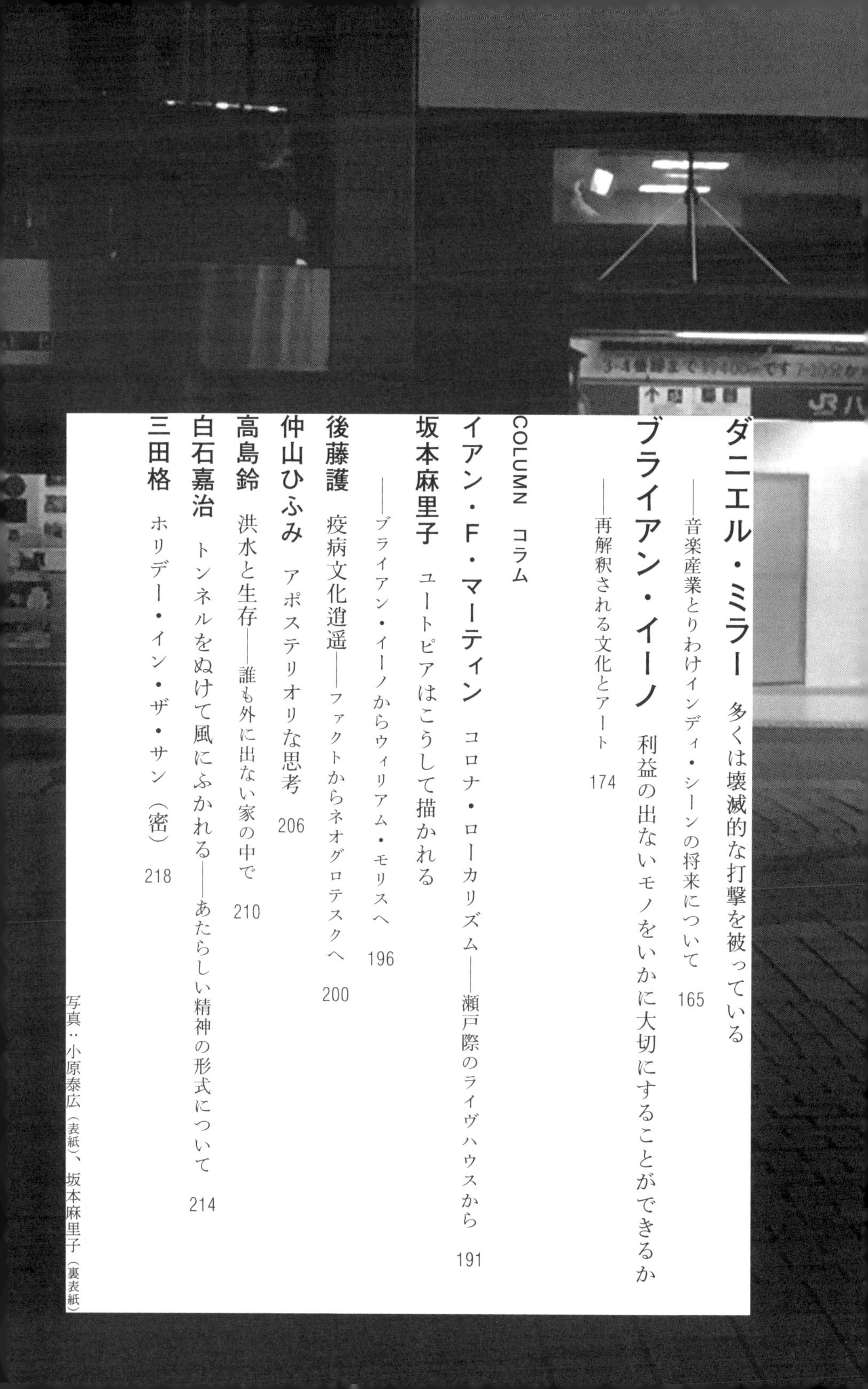



写真：小原泰広（表紙）、坂本麻里子（裏表紙）

大和証券
SEVENTEEN
舞い落ちる花びら
(Fallin' Flower)
4.1
ZARA
ZARA
glico
マイナンバー
カードで
申告がより便利!?

Photo by Yasuhiro Ohara

新型コロナウイルスは世界を変えた。当分のあいだは、それ以前の世界に戻れることはなさそうである。

振り返ってみよう。２０１９年11月、最初に武漢で発見されたこのウイルスによる感染症は、２０２０年２月11日にＷＨＯにより「COVID-19」と命名され、ヨーロッパでは２月末のイタリアにおける都市封鎖を皮切りに、３月中旬にはヨーロッパのほとんどの都市でロックダウンが実施された。アメリカの被害も甚大で、ニューヨーク市では３月22日に自宅待機が要請されたものの、４月に入っても感染者数の急増は収まらなかった。

日本では２月初旬に感染者を出したプリンセス・ダイヤモンド号が横浜に停泊した。３月２日には一斉休校が要請されたが、東京オリンピックの延期が発表されたのは３月24日で、緊急事態宣言が発令されたのはそれから２週間後の４月７日だった。

それから２ヶ月ほど過ぎ、日本の「自粛要請」は緩和されてもなお、世界中のニュースは今もこの話題で持ちきりである。政策について、治療薬について、経済について、アベノマスクについて、あらゆるフェーズでさまざまに議論されている。相変わらず多くの仮説が語られ、ネガティヴな記事と楽観的な記事がネットを飛び交っているが、新型コロナウイルスが世界を変えたのはたしかだ。

それはしかし、何をどう変えたのだろう。私たちはこの未曾有の体験のなかでいかに希望を描けるのだろうか。ことに文化の意義にも力点を置きながら特集する。

# 内田樹

インタヴュー

## 失ったものを数えるよりも、残っているものを数えること

Tatsuru Uchida (8 May 2020)

パンデミックによって何が変わり、変わらなかったのか？　新型コロナウイルスはわたしたちにさまざまな気づきの契機を与えてくれているが、健康や家庭、仕事など、みなそれぞれに不安を抱えてもいる。このような時代にあってわたしたちは、いかに希望を描けるのか？　社会の可能性と、文化の価値について考える。

内田樹（うちだ・たつる）神戸女学院大学名誉教授。専門はフランス現代思想、武道論、教育論など。神戸で武道と哲学のための学塾「凱風館」を主宰。著書に『ためらいの倫理学』（冬弓舎／角川文庫）、『私家版・ユダヤ文化論』（文春新書）、『日本辺境論』（新潮新書）、『サル化する世界』（文藝春秋）など多数。近著に『街場の日韓論』（晶文社）。

――新型コロナウイルスによって引き起こされた日本や世界の状況について、どのように解釈されていますか？　何かが終わり、何かが始まるのでしょうか？

**内田**　感染症パンデミック自体は２００２年のＳＡＲＳ、２００９年の新型インフルエンザ、２０１２年のＭＥＲＳと短い間隔をおいて定期的に起きています。別に前代未聞の大事件ではありません。たしかにウィルスそのものはそのつど「未知」ですけれど、「未知のウィルスにどう対処するか」という手順は「既知」です。やることは決まっています。感染症対策のセンターを設置すること、医療資源を備蓄すること、十分な予算をつけて感染症の臨床と基礎研究の専門家を育てておくこと……それくらいでしょう。別に奇跡的な予見能力や超人的な医療技術を求めているわけではありません。ごく散文的でリアルな「準備」をしておくべきだということです。

実際に、韓国や台湾やニュージーランドはかねて用意のマニュアル通りに行動して、感染を早期に抑制しました。しかし、アメリカやヨーロッパや日本はそれができなかった。マスクがない、防護服がない、人工呼吸器がない……というような物量的な原因でいくつかの国で医療崩壊ないしはそれに近い事態が発生しましたけれど、それはウィルスの力が強かったからではなく、危機対応能力が弱かったからです。

今回のウィルス禍は、それぞれの国の危機対応能力の優劣をあらわに可視化しました。コロナ後の世界では、その差が大きく拡大されて、国力の差としてはっきりと出てくることになると思います。

――今のような状況下においては、人々のメンタルもきついと思います。多くの人が数ヶ月後の自分がどうなっているか不安でしょうし、シリアスになればなるほどウツになってしまいかねない状況が続いていますが、こういうとき人はどのような心持ちでいるのがいいと思いますか？

**内田** 天変地異に処する場合と同じで、「失ったもの」を数えるよりは、「まだ手元に残っているもの」を数える方がメンタルは安定します。自分はまだ健康だ、まだ家族も友人もいる、住む家もある、食べるものもある、仕事をする能力もある……それを数え上げた方がいい。そういう人の方が早く立ち直れるし、周りの人たちを支援もできる。うっかり「自分ほど不幸な人間はいない」というタイプの自己憐憫に居着くと、なかなかそこから出られなくなる。まあ、そんなことを言っても「心持ちをコントロールできるほどの余力がない」と言われたらそれきりですが。

――感染者数は検査数に比例しますが、日本の死者数が欧米にくらべ極度に少ない理由はなぜだと解釈されていますか？ また、感染者数も死者数も少ないにもかかわらず、なぜ日本はこれほど絶望感が大きいのでしょう？

**内田** 検査件数が少ないのは当初は「クラスター潰し」という日本の防疫戦略上、検査数を増やす必要がなかったという説明を伺っています。僕は専門家ではないので、そう言われたら、そうだろうと思うしかありません。

しかし、３月末まで政府も東京都も、東京五輪を開催するつもりでしたから、感染者数をできるだけ少なく見せるという意図もおそらく働いていて、「感染者数が多くなるオプション」を心理的に忌避したというのは、ありそうなことです。

ただ、市中感染が始まり、「クラスター潰し」から防疫戦略が転換した後は、感染状況を知るために検査件数は増やすべきでしたし、実際に首相も4月1日にはそう指示しています。しかし、それから4週間経っても首相の指示が実現していない。これはどういうことでしょうか。「指示を出した」と言いながら、実際は「検査件数を抑制しろ」と現場には違う指示を出して止めているのでしょうか。それとも、政府が「検査件数を増やせ」と指示を出しても、現場がそれに対応できなくなっているのでしょうか。僕は後者だと思います。

政府部内の感染症のコントロール・センターがもう機能しなくなっている。それは医療崩壊というのとは違うレベルでの統治機構の機能不全です。

布マスクも、首相が配布を発表してから1月経ってもまだ「準備中」です。発注先を訊かれて、政府はしばらく答えられなかった。あれはほんとうに知らなかったのだと思います。トップからの指示がどこまで届いていて、誰が所管していて、誰が責任を引き受けるのか……それがもう官邸では把握できなくなっている。マスク二枚さえ配布できないような無能なコントロール・センターが検査件数を増やすというような難しいタスクをこなすことができるはずがありません。しかたなく、業を煮やした医師会や自治体が独自に検査拡大に取り組み出した……というのが実情だと思います。

——今回の事態は、それぞれの国民国家やリーダーたちの表情をあらわにしています。日本ではドイツのメルケル首相や台湾の蔡英文《ツァイ・インウェン》総統への評価が高まりましたが、首相の権限拡大や非常事態宣言の無期限延長を可能にしたハンガリーのような例もありました。死者が多数出るのは覚悟の上で、人々の自由を優先したスウェーデンと、被害を最小限に食い止めるために管理を徹底した韓国は対照的に映ります。内田さんから見て、共感できる政策を取っている国ないしはリーダーがいたら教えてください。

**内田** 蔡英文台湾総統、文在寅《ムン・ジェイン》韓国大統領、ジャシンダ・アーダーンニュージーランド首相は、すぐに「非常時モード」に切り替え、感染抑制に成功した点で卓越していたと思います。アンゲラ・メルケル独首相とボリス・ジョンソン英首相は感染抑制では後手に回りましたが、国民にまっすぐに向き合い、情報開示と政府の対策の方向をきちんと説明したことで国民の信頼を高めました。ニューヨークのアンドリュー・クオモニューヨーク州知事、ギャビン・ニューサムカリフォルニア州知事はトランプ大統領の迷走ぶりとはうらはらに、独自の対策を打ち出し、州民たちの信頼を勝ち得ました。

危機対応としては、国民に真実を教えず、抵抗を抑え込んで、強権的に統制する方法と、国民に真実を伝えて、その自発的な協力を求める方法の二つの選択肢があります。どちらが成功するかはわかりません。短期的には中国のような中央集権的な手法が功を奏するかも知れません。しかし、長期的に見たときには、強権に唯々諾々と従うだけで、自分ではものを考えない、判断もしないというような幼児的な国民を創り出す国と、国民ひとりひとりに自己判断で適切にふるまうことができるような市民的成熟を求める国では、遠からず歴然とした国力の差が出てくると思います。

——今回日本で起きているポジティヴな（といえるかどうか議論の余地がありそうですが）ことのひとつに、「人が集まる」こと、「人と会う」ことがどれほど大切で嬉しいことかをみんなが思い知った、ということがあると思います。また、現政府が私たちのことを親身に考えてはいないことが明らかになった、ということもあるでしょう。SNS上でも安倍首相への批判が渦巻いていますし、この経験を機に政治に関心の高まった若い人が少なくないという話も聞きます。ほかに内田さんがお気づきになった、ポジティヴな契機になりうることがあれば教えてください。

**内田**　日本の統治機構が安倍政権の7年間で先進国とは思えない程度に劣化したということが可視化されたことは、結果的にはよかったと思います。むろんこれからもNHKをはじめとする国内メディアはその事実を隠蔽して、「感染症対策に日本は成功した」というような政府キャンペーンを唱和するでしょう。しかし、国内はそれで通せても、世界の専門家たちが「日本政府の出すデータには疫学的に信頼性がない」という評価を撤回しない限り、各国が行き来を再開しても、日本には海外から人が来ないし、海外に出てゆくこともできない「鎖国」状態に置かれるリスクがあります。それを避けるためには、情報を開示し、信頼性のあるデータを出さなければならない。国内なら公文書はいくらでも改竄隠蔽できますが、国際社会相手にその手は使えません。「開国」のためのコストとして、政府が不都合なものも含めて情報の公開に踏み切るならば、それはよいことだと思います。

——たとえばイギリスの、NHS（国民保健サービス）の医療従事者たちに人々が拍手を送ったり、自分たちで率先して後方支援に動いたりする光景からは、大衆のなかに「社会」が内面化されているような印象を受けます。もちろん死者数2万6千人以上という深刻さもここには関係していると思いますが、翻って日本では、危機感がイギリスほどでもないからなのか、医療従事者たちへの気持ちよりも経済的な不安のほうが顕在化されているような印象を受けます。それだけ日本はネオリベラリズムのプレッシャーがきついということだと思うのですが、物事を解決する術はお金しかないという極論が生活のなかで支配的になることなく、日本が「社会」を取り戻すにはどうしたら良いとお考えでしょうか？

**内田**　サッチャー政権の時の「社会などというものは存在しない」という突き放した自己責任論によってイギリスの国民的連帯は分断され、労働者階級の貧困化が進み、「アンダークラス」という新しい階級が生まれました。そのことについて、今のイギリス社会には歴史的反省が始まっているように見えます。現に、ボリス・ジョンソン首相が退院後、保守党が久しく敵視してきた「ゆりかごから墓場まで」の福祉政策の柱であったＮＨＳを絶賛する演説をしたことは印象的でした。医療や教育のような制度は市場に委ねず、公共的に管理すべきだという考え方が再びゆるやかに英社会の「常識」に戻って来た徴候ではないかと思います。

　日本では安倍政権下で、医療を市場に委ねる動きが加速し、感染症対策予算も削られました。病院の効率化や病床稼働率の向上とかばかり言っていたのですから、医療器具の備蓄や病床数が最低限まで削られるのは当然のことです。「正常性バイアス」がかかった眼で見れば、感染症用の薬品機材や病床はパンデミック時以外には「無駄」に見えます。だから、削られる。そして、何年かに一度感染拡大を迎えて、「どうして備蓄がないんだ。

Photo by Mariko Sakamoto

どうして病床がないんだ」と驚いている。自分たちで削ってきたことを忘れて。

今日の日本の医療行政の混乱は、ひさしく「医療費の削減」を財政上の課題にしてきた政府が、「医療費の増大」によってしか対応できない局面に遭遇したことで起きました。アクセルを踏みながらブレーキを踏んでいるようなものですから、身動きができない。

この後、日本は再びこれまでのような「医療費削減」路線に戻すのか、次のパンデミックに備えて「医療費増大もやむなし」と腹を括るのか、それは国民が決めなければいけないことです。

医療は高額商品であるのだから、金がある人間は良質の医療を受けられるが、金のない人間には医療も受ける権利がないというのがこれまでの新自由主義的な医療観でした。しかし、この思想は感染症には適用できないことがわかりました。アメリカには無保険者が２７５０万人いますが、金が払えない人間には医療を受けさせないというルールを採用すれば、貧困層での感染拡大を止められず、いずれ国民全体が壊滅的危機に向き合うことになります。

住民全員が良質の医療を受けられることではじめて社会が維持できる、「社会が存在する」ことでしか感染症は制御できないという平明な事実をそろそろわれわれも受け入れる時だと思います。

――3・11のときも議論されましたが、こうした非常事態においてアート（表現活動全般）は二の次だという意見があります。内田さんはこうした意見をどう思われますか？　また、もしいまアートにやらなければならないことがあるとしたら、それは何だと思いますか？

**内田** 現実を見るにはさまざまな視点があり、ものごとの価値を考量するのにはさまざまな「ものさし」があります。それが多様であればあるほどわれわれの心身は安定し、生きていける場所は増える。ある視点から見たら絶望的な事態でも、別の視点からは転換期の徴候に見えることがあり、ある「ものさし」で計ると無価値なものが、別の「ものさし」をあてがうと宝物に見えることがある。芸術はそういう「ものの見方の多様性」を提供してくれるものです。ですから、非常時ほど、困難な時ほど、人は生き延びるために芸術が必要と思います。

――カミュの『ペスト』が世界中で読まれているようですが、内田さんがいま読んだらいいのではないかと思われるオススメの本があれば教えて下さい。

**内田** 非常時であればあるほど、頭をクールダウンして、広いタイムスパンの中で目の前の出来事を「非人情」に観察することが必要になります。そういう時は古典を読むのが一番いい。

カミュの『ペスト』はよい選書だと思います。ここには、僕たちが今直面しているのと似たパンデミックに投じられて、「どう生きたらよいのか」を必死に探している人たちが出てきます。一人一人見出す「解」が違います。ペストをひたすら恐れるもの、ペストと戦うもの、ペストのうちに真理を求めるもの、ペストを利用しようとするもの……誰の生き方が正しいのか、作者は決定を下しません。それは読者が自分で考えることだからです。

ダニエル・デフォーの『ペスト』は1665年にロンドン市民の6人に1人が死んだペスト禍の「実録」です。デフォー自身は当時5歳なので、おそらくはほとんどは聞き書きなのだと思いますが、絶望のあまり街路を絶叫して走る半裸の男とか、住民全員が死んで物音ひとつしない路地の不気味さとか、デフォー少年のトラウマ的経験と思われる部分も書き込まれています。

致死率を除くと、ロンドンのペスト禍と日本のコロナ禍は実によく似ています。ロンドンから逃げ出した住民たちを田舎の住民たちが「来るな」と言って追い返す話が詳しく書かれていますが、事実、雨露もしのげず飢えも癒せず、ロンドンを逃れた多くの人が街道で横死しました。県外からの車を煽ったり、車に傷をつけたりする人は、もう少し事態が悪化すれば、「死ね」というような言葉を口にできる人間だということは覚えていた方がいいことの一つです。

もう一つ選ぶなら鴨長明『方丈記』。嵐、火事、飢饉、洪水、疫病……とにかく京都の町を襲ったありとあらゆる天変地異について、長明はジャーナリスティックな関心から現地取材に赴きます。そして、しだいにある種の諦観に導かれる。無感動になるというのではなく、この世の中の出来事を人々が見ているのとは違う視点から眺め、人々が一喜一憂するのとは違う「ものさし」で人の生き死にの意味を計ろうとするのです。そうしているうちに、目の前の阿鼻叫喚の声がすっと鎮まる。

非人情の骨法を改めて学ぼうと思うなら夏目漱石『草枕』がお薦めです。忘れてはならないのは、これが日露戦争の渦中で、日本人全体が一種のマスヒステリー状態になっていたときに書かれたものだということです。だから、漱石は「超然と出世間的に利害得失の汗を流し去った心持ち」を求めて「別乾坤《べっけんこん》」に遊ぼうとしたのです。これこそ芸術の功徳だと思います。

（質問：編集部、5月8日回答）

天笠啓祐

インタヴュー

Keisuke Amagasa (17 April 2020)

# 新型コロナウイルスとは何か？

## 科学的見地から探る原因と対策

21世紀に入ってもウイルスと人類の〝闘い〟は果てしなく続いている。ウイルス感染症の拡大は地球規模の環境破壊やグローバル化によって引き起こされたとの見方がある。ウイルスは環境の変化によって感染力や毒性の強い新型に変異するからだ。ウイルスが変化する以上、ワクチンの効果も持続的ではない。こうした「ウイルスの生き残り戦略」を前に、人類にとって可能なのはウイルスとの〝闘い〟ではなく〝共生〟なのかもしれない。

天笠啓祐
（あまがさ・けいすけ）
１９４７年生まれ、早大理工学部卒、雑誌『技術と人間』をへて、フリージャーナリスト。日本消費者連盟共同代表、遺伝子組み換え食品はいらない！キャンペーン代表、市民バイオテクノロジー情報室代表。主な著書は『ゲノム操作・遺伝子組み換え食品入門』『ＤＮＡ鑑定』『ＴＰＰの何が問題か』（以上、緑風出版）、『暴走するバイオテクノロジー』（金曜日）、『遺伝子組み換えとクローン技術１００の疑問』（東洋経済新報社）、『この国のミライ図を描こう——原発とグローバリズムが無理なわけ』（現代書館）など。

## ＳＡＲＳウイルスが変異した新型コロナウイルス

――新型コロナウイルス（SARS-CoV-2）とはどのようなウイルスですか？

**天笠**　新型コロナウイルスはもともと、キクガシラコウモリが保有していたＳＡＲＳ（重症急性呼吸器症候群）ウイルスが変異したものと考えられています。キクガシラコウモリからマレーセンザンコウやヘビなど中間宿主（感染源となる動物）を媒介して変化したとも言われていますが、何を媒介にして変化したかは諸説あり確定していません。

ＳＡＲＳウイルスは２００２年11月に中国の広州で見つかり、香港、シンガポール、台湾のほか、カナダ、ドイツなどにも広まりました。ＳＡＲＳでは８０００人以上が感染し、８００人近くが亡くなっています。致死率は約10％に上り、世界中で大騒ぎになりましたが、２００３年に流行は収まり、その後、ウイルス自身も地球上から姿を隠しました。

そもそも人間に感染するコロナウイルスは7種類あります。そのうちの4種類は日常的に人間に感染し風邪の原因になっています。残る3種類は重い肺炎を起こしやすい、ＳＡＲＳウイルスとＭＥＲＳ（中東呼吸器症候群）ウイルス、それに今回の新型コロナウイルスです。ＭＥＲＳウイルスはヒトコブラクダが宿主といわれ、２０１５年にサウジアラビアを中心に中東で発生し、中国や韓国にも拡大しました。約２５００人が感染し、８５０人以上が亡くなりました。致死率は実に30％を超えています。

新型コロナウイルスの感染源といわれるキクガシラコウモリは体長6～8センチくらいの小

さなコウモリで、ユーラシア大陸やイギリス、日本、モロッコなど幅広く分布しています。鼻の形が「菊の花」に似ていることからその名前が付いたそうです。

ウイルスには、遺伝子にＤＮＡ（デオキシリボ核酸）を持つものと、ＲＮＡ（リボ核酸）を持つものがあります。特に変化が起きやすいのが、コロナウイルスのようなＲＮＡを遺伝子にもつウイルスです。ＲＮＡウイルスの特徴は、変化が起きやすいことからワクチンがつくりにくい点にあります。ワクチンを開発しても、すぐにウイルスの側が変化を起こしてしまうのでワクチンを無効にしてしまうからです。

なぜ変化が起きやすいかというと、ＤＮＡが２本鎖であるのに対して、ＲＮＡは１本鎖である点にあります。２本鎖の場合、片方が変化を起こしても、相方が修復して元に戻すことができますが、１本鎖の場合、その相方がいないからです。突然変異を起こすと、それがそのまま受け継がれていきます。

ウイルスは人間に免疫ができたり、ワクチンが開発されると、いったん収まるかに見えますが、「生き残り戦略」をかけて変化を起こし、人間にまた襲いかかってきます。ウイルスはその変化によって、時には感染力が強いものや病原性の高いものを生み出すのです。

新型コロナウイルスの場合、致死率は保健・医療体制などによって各国で違いはありますが平均して５〜６％です。ＳＡＲＳウイルスの10％、ＭＥＲＳウイルスの30％に比べて比較的弱いようです。新型コロナウイルスは生き残り戦略にたけた生存力の強いウイルスです。感染するとまず３日間の潜伏期間があり、それから発症するまでに１〜２週間かかります。その間にたくさんの人に感染を広げてしまう可能性があります。これがこのウイルスの生き残り戦略の最たるものです。

ＳＡＲＳは感染するとすぐに発症し重症化するので、感染者を隔離するなど早めに対応がとれました。こうなるとウイルスは生き残ることができません。もちろん、ウイルスに意志はありませんが、ＳＡＲＳがうまく広がらなかったので、それを教訓に戦略を変え、すぐに感染が判明しにくいスタイルに変異したのでしょう。結果的に、世界中で蔓延してしまいました。ウイルスにとって理想的な生き残り戦略だったわけです。

ウイルスが持っている１本鎖のＲＮＡは変異が早いのですが、新型コロナウイルスもその例に漏れません。世界中どこも感染者数の実態がつかめていないので簡単に比較はできませんが、最初に中国、韓国、シンガポールなどアジアで広まった新型ウイルスと、現在、欧米で広がっている新型ウイルスではタイプが違うのではないかと言われています。

１００万人当たりの死者数（4月14日現在）は、スペイン３９７人、ベルギー３８３人、イタリア３５８人、フランス２６３人に対し、韓国４人、フィリピン３人、中国２人、日本１人です。アジアと比べて欧米では圧倒的に死者数が多いのです。素早い変異によって感染力や毒性が大いに高まっているのではないでしょうか？　これは今後の研究によって明らかになるでしょう。

## ウイルスの生き残り戦略と環境破壊

――新型コロナウイルス感染症（COVID-19）が世界に広がったのはなぜですか？

地球温暖化や開発による環境破壊などで滅亡する生物種が増え、生物多様性が失われると、それがウイルスの宿主に影響し、ウイルス自体が生き延びるために変化を起こさざるをえなくなります。

**天笠**　このような新型感染症が最近頻発する理由は、いくつかあります。その一つは地球規模での環境破壊です。気候変動などの進行がウイルスの宿主となる生物に影響し、ウイルスの生き残り戦略に変化をもたらしてきていることが考えられます。宿主はウイルスが存在するために必要な生物です。ウイルスは宿主に悪さをしません。というのは、宿主に悪さをすると、自分自身が生きられなくなるからです。

　地球温暖化や開発による環境破壊などで滅亡する生物種が増え、生物多様性が失われると、それがウイルスの宿主に影響し、ウイルス自体が生き延びるために変化を起こさざるをえなくなります。その結果、生き残り戦略に変化が起きました。特に問題になっているのが熱帯雨林の破壊です。そこに棲む生物を宿主としていた病原性ウイルスが文明社会に流入してきました。その代表がエイズウイルス、エボラ出血熱ウイルス、そして西ナイル熱ウイルスです。それまで人間の環境に入り込んでこなかった病原微生物の文明社会への流入をもたらしたのです。

　もうひとつが経済のグローバル化の影響です。世界中で貿易の自由化・促進が図られ、それが物や情報だけでなく、動物や人間の行き来を拡大・加速し、感染症の局所的な発生を世界的な拡大に変えてきました。一つの国で収まったと思っても、再び流行が起きるといったように、相互に感染し合う状況が起き、いつ収まるのか分からない状況になってしまいました。今回の場合も、中国での感染の拡大が、一帯一路（註1）を通してイランやイタリアに伝わり、ヨーロッパで拡大し、さらに世界中に広がりました。

　また、バイオテクノロジーの応用が進み、日常的にウイルスや細菌が改造され、新たな生物を誕生させ、それが新たな微生物の誕生をもたらしていることも挙げられます。米国パデュー

註1　中国が推進する巨大経済圏構想。中国からユーラシア大陸を経由してヨーロッパへ至る「陸のシルクロード」（一帯）と、中国沿岸部から東南アジア、スリランカ、アラビア半島の沿岸部、アフリカ東岸を結ぶ「海のシルクロード」（一路）の2地域で、道路、鉄道、港湾などインフラ整備で貿易や交通の利便性を高め、金融、製造、ＩＴ、テクノロジーなどへの投資を拡大することで産業活性化を図るプログラム。イタリアを含む１２０ヶ国以上が参加。

大学名誉教授のドン・M・ヒューバーが、遺伝子組み換え作物が新種の微生物を作り出した例を指摘し、警告を発しています。また、遺伝子組み換えにはウイルスがベクター（遺伝子の運び屋）として使われており、それが一定の割合で突然変異を引き起こし、感染力を増幅することも確認されています。

遺伝子組み換え技術に続いてゲノム編集技術（註2）が登場し、そのような改造微生物を扱う施設も世界中にくまなく広がっています。そこから改造した微生物が環境に漏れ出せば、いつでもパンデミック（世界的大流行）が起こりうる状況になっています。今回の新型コロナウイルスも中国武漢の研究所から漏れ出したのではないかと米国の科学者が指摘していますが、それは中国での研究施設がバイオセーフティ・レベル（BSL）2というセキュリティの低いレベルでコロナウイルスを扱っていたからで、まったくありえない話ではありません。ただ、トランプ大統領が中国を批判するため政治的な思惑から決めつけるのは問題です。

いずれにせよ、バイオハザード（生物災害）の危険性は常に指摘されています。それが意図的に行なわれれば「生物兵器説」につながっていきます。新型コロナウイルス感染のようなことが起きると、必ず、生物兵器説が登場するのですが、今回のケースでは可能性は低いと思います。というのは、生物兵器を開発する場合には、同時に、そのウイルスに対抗するワクチンが開発されないと、そのウイルスを兵器として使用できないからです。新型コロナウイルスに効果のあるワクチンはまだ存在していません。

――新型コロナウイルス感染について「中国の食生活」との関係が指摘されていますが？

**天笠** これも可能性があるというだけのことです。インフルエンザウイルスも中国とかかわり

註2 生物が持つDNA全体（ゲノム）の中のある特定の遺伝子を、「CRISPR-Cas9（クリスパー・キャス・ナイン）」という遺伝子のハサミの役割を果たす酵素を使ってピンポイントで切断し編集する技術。肉厚の魚や栄養価の高い野菜などゲノム編集食品を短期間で開発することができるというが、生命にとって最も大切な遺伝子を破壊することから、環境や食の安全に対する危険性が指摘されている。

があります。インフルエンザウイルスの宿主はカモですが、シベリアから渡ってきて中国南部に飛来し、そこでフンを通してニワトリやブタに感染し、人間に感染するようになりました。このニワトリ、ブタ、ヒトの間を行き来するうちに変化し、時には高病原性鳥インフルエンザのように毒性の強いものが登場するようになりました。

中国ではさまざまなものが食べられています。コロナウイルスの宿主となっている動物には、コウモリやラクダ以外にも、イヌ、ネコ、ブタ、マウス、ウシ、ウマ、ニワトリ、ヘビ、スズメなど多様です。そのウイルスが人間に感染して、インフルエンザウイルスのようにさまざまな動物を行き来しているうちに変化することも十分あり得ます。中国の場合、食べられないものがないというほど、さまざまな動物を食材にしています。そのためウイルスの混合化が起きやすく、今回もその可能性があるということです。

## ウイルスに由来する人間のDNA

——感染症への有効な対策はありますか?

**天笠** 基本的には免疫力をつける以外にありません。政府は「ウイルスとの闘い」という表現を使っていますが、人間がウイルスを敵視して闘えば闘うほど、ウイルスは生き残るために変化し、時には今回のように新型ウイルスが登場して人間に襲いかかってきます。先ほども説明しましたが、1本鎖のRNAウイルスは突然変異すると、そのまま受け継がれていきます。変異によって感染力や毒性が高まった新型ウイルスによって人間社会が甚大な被害を蒙ることになります。

ウイルスの大敵は感染させない仕組みです。ウイルスは、細菌と異なり、抗生物質は効果がありません。細菌は単独で生きられますが、ウイルスは生きることができません。そのためウイルスのことを生物と無生物の間の「半生物」といいますが、ウイルスは何かに感染していなければ生きられないのです。そのため大敵はウイルスが感染できなくなる免疫とワクチンです。

今回のケースでも、「多くの人が自然感染すれば感染拡大は抑えられる」と主張する研究者もいます。免疫を持っている人が増えれば免疫を持っていない人に感染が及ばないという集団免疫の考え方です。スウェーデンはこの戦略で乗り切ったとききます。確かにウイルスに感染すれば抗体ができますから一理あるのですが、あまり意味がありません。というのも、ウイルスの側が変化するか、抗体がなくなれば、再び感染してしまうからです。それに感染が広がればどれだけの人が亡くなるか分かりません。イタリアやスペインほどではありませんが、スウェーデンも２０００人以上の死者を出しています。

抗ウイルス剤は直接、ウイルスを攻撃するわけですから効果はあります。抗ウイルス剤の開発や活用として、既存の医薬品を活用する方向で対応が進められています。しかし、人間のＤＮＡの多くは実はウイルスに由来しています。人間はウイルスが運び込んだＤＮＡによって進化してきたのです。それに人間にはたくさんのウイルスが棲みついています。例えば肺の中では約１７０種類ものウイルスが存在しています。またウイルスは私たちにとって大切な役割を果たしていることもあり、例えば母親のお腹の中にいる胎児はウイルスがつくる膜によって守られています。

世界中でワクチン開発がブームになっており、緊急時ということで使用が広まると新たなワクチン禍を引き起こす危険性があります。

そのためウィルスを攻撃することは、人間自身の細胞を攻撃することになります。ある意味、自殺行為です。最近でも、ＨＰＶワクチン（子宮頸がんワクチン）が少女たちに深刻な健康被害をもたらしましたし、インフルエンザ治療薬のタミフルは異常行動や突然死をもたらすなど副作用がきわめて強いのです。

いま日本政府が進めているのは、富士フイルム富山化学が製造販売しているインフルエンザ治療薬のアビガンです。アビガンはウイルスの増殖に必要なＲＮＡポリメラーゼを阻害することで効果を発揮します。ＲＮＡポリメラーゼはＲＮＡを合成する酵素のことです。これが阻害されるとＲＮＡが合成されないので遺伝子の働きが妨げられることになります。新型コロナウイルスがＲＮＡを遺伝子に持っているので効果があるというわけです。

厚生労働省は新型インフルエンザ対策として２００万人分のアビガンを調達できるとしており、使用に向けて動き出しました。しかし、アビガンは妊娠している女性に投与すると、初期胚を殺す可能性があり、赤ちゃんに影響をもたらす恐れがあります。また精液に移行するため、次世代への影響が懸念されています。

アメリカの製薬会社がエボラ出血熱を対象に開発したレムデシビルもＲＮＡポリメラーゼを阻害する薬です。日本のメディアでも大きく取り上げられ注目を集めましたが、レムデシビルも人間の生命の仕組みに介入しますので、アビガン同様、副作用も大きくなります。この場合特に懸念されるのが、肝臓への影響です。いかに緊急対策といっても乱用はきわめて危険です。

中国で使用が進められた抗ＨＩＶ薬のカレトラもウイルスが持っているプロテアーゼという酵素を阻害してウイルスの増殖を止める薬です。出血などの副作用が報告されているうえ、１

回の投与で長時間、体内にとどまる性質があるので副作用の影響が大きくなります。

　人間は微生物との共生をめざさず、ウイルスを敵視し、ワクチンと抗ウイルス剤に依存してきました。その結果、コロナウイルスの中からＳＡＲＳとＭＥＲＳといった新型が登場し、今回のような新たなタイプのコロナウイルスが登場したと考えられます。細菌にしても、抗生物質で抑えることができたはずですが、いつのまにか耐性菌が拡大し、抗生物質が効かないという事態が出現しています。

## ワクチン接種による健康被害の危険性

――世界中でワクチンの開発が進められていますね？

**天笠**　現在、感染症対策の切り札になっているのが、細菌の場合は抗生物質であり、ウイルスの場合はワクチンです。昔は、赤ちゃんや子どもの時にさまざまなウイルスに感染して、免疫を獲得するのが当たり前でしたが、いまでは感染する代わりにワクチンで免疫をもたらすようになりました。

　ワクチン接種には、以前はウイルスの毒性を弱めた生ワクチンが用いられていました。このようなワクチンは、一定の割合で突然変異を起こし、毒性を取り戻すため、重篤な副反応が生じることがありました。そのため政府も、当初はいくつかの感染症について接種を義務づけていたのですが、国が義務づけると被害が起きた際に国家賠償の対象になってしまうため、「勧奨」という変な表現に変え、責任を免れるようにしてしまいました。

結局、生ワクチンは危険度が高いということで、不活化ワクチンが用いられることが多くなりました。そうすると免疫がつくり難いため何回も接種しなければならず、赤ちゃんの時から過密なワクチン・スケジュールが組まれ、年中、ワクチンを接種しなければならなくなりました。

しかも、ワクチンの効果を意図的に高めるために、危険なアルミニウムを含んだアジュバントと呼ばれる物質を使用せざるをえなくなりました。結局、ワクチン接種によって健康破壊といった新たな問題が引き起こされているのです。

ワクチンは今では、バイオベンチャー企業が開発する新型化へ移行しています。これはＨＰＶワクチンが先鞭を付けたのですが、バイオテクノロジーの応用がワクチン開発の主流になったということです。これまでＨＩＶやエボラ出血熱のワクチンを開発してきた、米国ジョージア州アトランタのGeoVaxLabs社が、中国武漢のBravoVax社と共同でワクチン開発に乗りだすと発表しました。

また、ワクチン開発を世界連携で進める研究助成機関である「感染症流行対策イノベーション連合」は、米国マサチューセッツ州のModerna社など2社、オーストラリアのクイーンズランド大学と、それぞれ連携してワクチン開発を進めると発表しています。同連合は２０１７年のダボス会議で設立され、ビル・ゲイツ財団が巨額の資金を拠出しています。世界中でワクチン開発がブームになっており、緊急時ということで使用が広まると新たなワクチン禍を引き起こす危険性があります。

ワクチンや抗ウイルス剤は、新たな健康被害をもたらす危険性がきわめて強いのです。それ以外に対策はないのかというと、ウイルスに勝つことはできませんが、最小限に食い止めることはできます。それは公衆衛生の充実によってです。以前、恐れられていたコレラやペストなどの感染症を抑え込んだのは、公衆衛生の力でした。社会構造や習慣の変化を促し、早期発見で感染拡大を防ぎ、高齢者など体の弱い人への影響を避けるようにする取り組みが必要です。

## 崩壊した日本の公衆衛生

――公衆衛生で重要な役割を果たすのは保健所ですね？

**天笠** 保健所は公衆衛生の担い手です。本来、憲法25条によって国が義務付けた「公衆衛生の向上及び増進」を担う機関として設立されました。そのため国が補助を行なっていますが、負担を削減するため政府はその保健所の合理化を進め、公衆衛生を風前の灯火の状態にしてきました。それを直接もたらしたのが１９９４年の保健所法改悪です。法律の名称も「地域保健法」に変わりました。

この法律に基づいて保健所の統廃合が進められ、１９８９年に全国で８４８ヶ所あった保健所が２０１８年には４６９ヶ所に減らされました。同時に、それまで保健所には15人から20人の保健師が配置されていましたが、今では５～６人程度になっているそうです。まさに、これが公衆衛生軽視の実態です。

すべては公衆衛生にかける費用が無駄なお金だという政府の認識がもたらしたことです。その結果、今回のパンデミックで、保健所の機能がパンクしてしまいました。この公衆衛生軽視

すべては公衆衛生にかける費用が無駄なお金だという政府の認識がもたらしたことです。その結果、今回のパンデミックで、保健所の機能がパンクしてしまいました。この公衆衛生軽視の流れは１９８０年代の医療や健康に関する国の政策の転換にあります。

の流れは１９８０年代の医療や健康に関する国の政策の転換にあります。医療や健康は国の経済政策の柱の一つに成り得るという考え方に基づき、政策が変わりました。その柱が感染症対策から、対がん戦略を柱とした生活習慣病対策へと変わったのです。

政府は１９８４年に「対がん10か年戦略」をスタートさせ、10年ごとに戦略が見直されてきました。２００７年には「がん対策基本法」が始まりました。医療の中心ががん医療に置かれてきたのは、がんが医療機器や医薬品だけでなく、ＡＩ、新素材、病院、バイオベンチャー、健康食品、オンライン医療、ＩＴなど多数の業種が関わる幅の広い産業の裾野を持っているからです。最近では教育現場でもがん教育が推進されています。医療が人の生命を救うものから経済効果を生み出すものへと大きく変質しました。

がんとともに重点化したのが、心臓や血管などの循環器病や糖尿病など生活習慣病です。その延長線上で、２０００年に「健康日本21」が策定され、２００２年に「健康増進法」が公布され、保健師の役割も公衆衛生から国民の健康づくりの推進に重点が置かれるようになりました。これに伴い、健康食品が隆盛を極める時代となり、感染症対策もお金になるワクチンや抗ウイルス剤へと変わっていきます。この結果、最も大事な公衆衛生が見向きもされなくなったのです。

今回、新型ウイルスによる感染が拡大した際に、保健所の機能の崩壊を目の当たりにしました。これは日本の公衆衛生の崩壊そのものです。すべての責任は政府の政策にあります。繰り返しになりますが、感染症との闘いにおいて、人間は自分の免疫力に頼る以外に勝つことはできません。ですから免疫力が弱く体力の落ちている高齢者、免疫力が未発達な赤ちゃんや子ども、病気の治療や疲労で体力が弱っている人などに感染症の被害が集中することになります。

## 社会的弱者に優しい世界をつくる

——人間はウイルスとどのように付き合えば良いのでしょうか？

**天笠** 人間にとってウイルスはなくてはならない存在です。人間のDNAの多くはウイルスに由来していますが、ウイルスに感染することで人間の細胞に他の動物の遺伝子を移し入れることができます。親から子へと遺伝子を伝える垂直なDNA伝達とは別に、水平なDNA伝達があるのです。それが人間の進化にとって大切な役割を果たしています。その意味でも、ウイルスは人間と共存する大切な存在といえます。

今の社会はウイルスや細菌を敵視し、清潔志向を強め、抗菌グッズや除菌消臭剤などを広め、免疫力を低下させてきました。細菌を「ばい菌」と呼んで忌み嫌う風潮も広がっています。微生物を敵視する清潔社会をつくりあげてきたため免疫システムが構築できなくなったということです。その結果、子どもたちの間では感染症への抵抗力が落ち、アレルギーや過敏症が増えています。

反対に、免疫力を高めれば今回のようなウイルスは人間の体にいづらくなります。ウイルスと闘う力をつけるには、体力をつけること、きちんとした食生活を送ること、精神的なストレスのない暮らし方をすることが大切です。中でも食の問題は大きく、栄養バランスを考えた安全性の高い食品を摂ることが望まれます。地球規模でいうと、戦争や地域紛争がなく、衛生状

最大の問題は、必ず社会的に弱い立場にいる人にしわ寄せが行くということです。真っ先に解雇されるのは非正規雇用者であり、倒産するのは中小や個人の事業です。

態が良いことが必要です。その意味では、高齢者に優しい社会ほど感染者が出ても死者の数は大幅に少なくなるでしょう。

人間はウィルスとの闘いに勝つことはできませんが、最小限に食い止めることはできます。それは公衆衛生の充実によってです。以前、恐れられていたコレラやペストなどの感染症を押さえ込んだのは、公衆衛生の力です。トイレの改善といった生活環境面での取り組み、早期に発見し感染拡大を予防する体制づくり、高齢者など体の弱い人への影響を回避する社会構造面での取り組みなどが重要です。近年、貧困・格差の拡大によって社会的構造にひずみが生じているだけに公衆衛生の役割がますます増大しています。

## 日本政府やマスコミの対応について?

**天笠** 政府は当初、今回の事態を甘く見ていました。これまでも何度か、パンデミック寸前の事態はありましたが、大事に至らなかったことから、今回も大事に至らないのではないかと見ていたようです。その結果、どちらに向いているのか分からない〝しまりのない政策〟を繰り返し、右往左往した結果、責任逃れに終始しているようにみえます。最悪の事態を想定しつつ、対応を図っていれば、感染拡大はもっと抑えられたのではないでしょうか。

少なくとも、医療崩壊寸前になるような悲惨な事態は避けられたように思います。こうした感染症を軽視する傾向は、福島第一原発事故の際にも、その直前まで原発事故は起きそうもないという慢心がありましたが、それとよく似ています。このような状況にある時が、最も危ない時です。そのことを警告するのが、本来のマスコミの役目ですが、現在の日本のマスコミにはその能力が著しく欠けているように見えます。

マスコミからよく取材を受けますが、いつのころからか両論併記の記事が増え、自分の主張がなくなっているように感じます。先を見通して自らの意見を述べていくオピニオンリーダーとしての役割を果たさなくなっているようです。世界的に見ますと、最大の問題は、このような問題が起きると、必ず社会的に弱い立場にいる人にしわ寄せが行くということです。

日本で見ても多くの企業が人員削減を図る中、真っ先に解雇されるのは非正規雇用者であり、倒産するのは中小や個人の事業です。世界的に見れば、公衆衛生が発達していない途上国の人たちの間では、感染が爆発的に拡大しますし、生きていくことすら大変な事態になりかねません。弱い立場にいる人たちに優しい社会を作っていかなければいけないと、いっそう思うようになりました。

## 社会のあり方を考える好機

――ポスト・コロナウイルスの世界をどのように展望されますか？

**天笠** 今回の新型コロナウイルスによる感染拡大は、これまで世界が歩んできた経済優先一辺倒、グローバル化、ＩＴ化の在り方への警告だと思います。日本を見てみると、食料を外国に依存し、食料自給をおろそかにしてきました。このまま貿易が滞ると、食料の輸入に影響が出て、日本の食卓を直撃する危険性が強まっています。

また外国からの観光客の増加に依存しようという政策も破綻をきたしています。大型クルーズ船、ＩＲ（統合型リゾート）などの大型施設の設置といった、観光依存型の政策の脆さを見せつけたと思います。社会の基本はモノ作りです。第一次産業、第二次産業が中心に置かれない社会は、脆い虚業の社会です。食料の自給率を上げていく努力が必要です。

そのためには農業・漁業といった第一次産業こそが社会の礎であるという認識が必要です。しかし現政権は、今回の感染が収まった後に取り組む政策として、経済のV字回復のことしか述べていません。政府は補正予算で、国内観光の需要を喚起するため、「GO TO Travel キャンペーン」に１・４兆円を計上しました。新型コロナウイルス感染がいつ収束するかめどが立っていないのに意味不明の予算です。結局、旧来の大企業優先、ＩＴ化優先の政策しか考えていないようです。

また、地球環境の復讐でもありますから、環境を優先する政策が必要です。日本や米国など先進国の多くが、気候変動への対応がまったく不十分ですし、生物多様性を守ろうとしてきませんでした。世界中で、落ち込んだ経済活動のV字回復という名のもとに回復を急ぐと、さらに地球環境を痛めつける政策をとる危険性があります。

今回のパンデミックの教訓を生かすのか、生かさないかによって、また同様の事態が起きる危険性を作るかどうかの違いをもたらします。いま新たな社会の在り方、国際関係の在り方などを考え、変えていく絶好のチャンスだと思います。

（取材：土田修、4月17日）

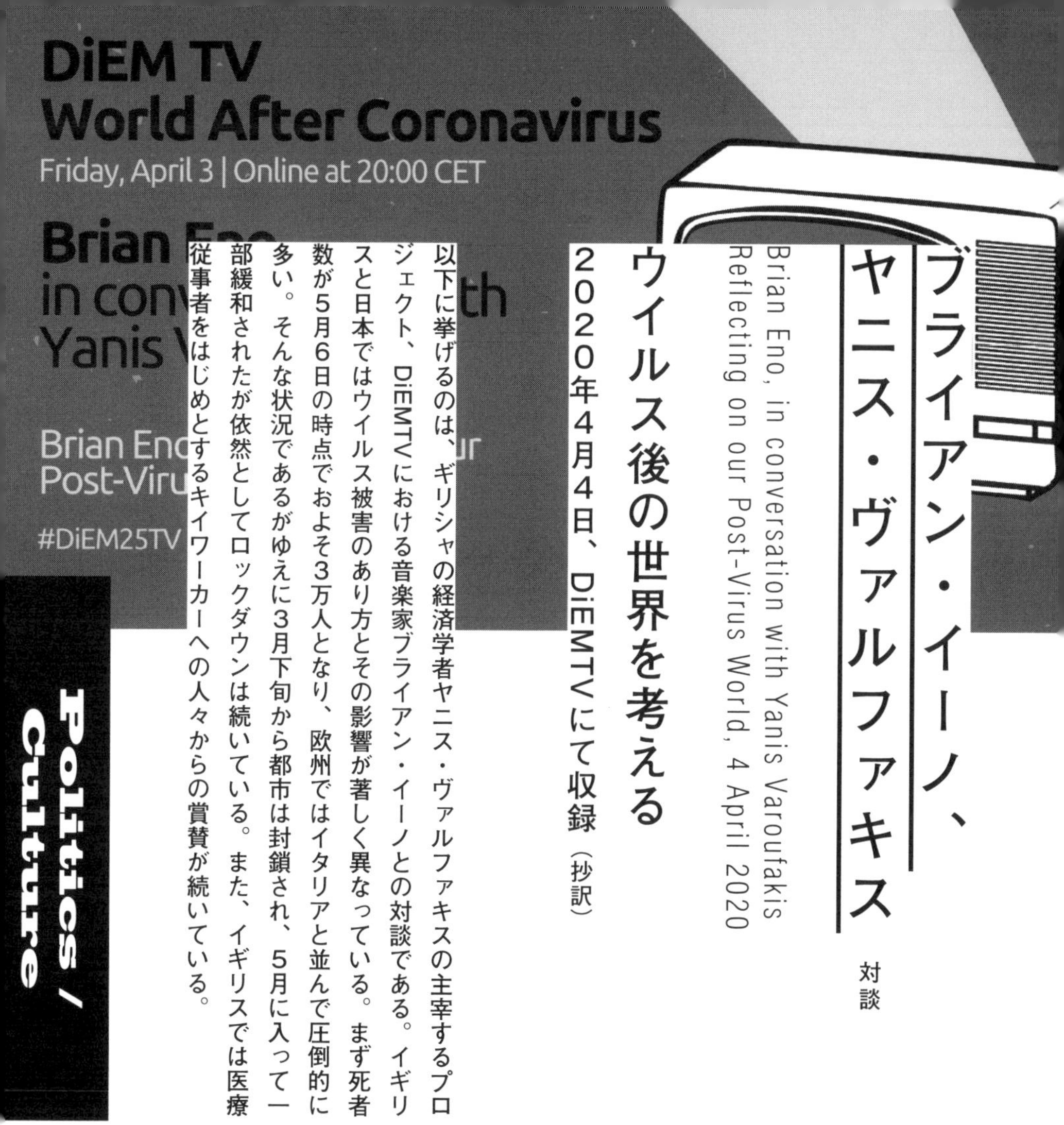


# ブライアン・イーノ、ヤニス・ヴァルファキス

対談

Brian Eno, in conversation with Yanis Varoufakis
Reflecting on our Post-Virus World, 4 April 2020

## ウイルス後の世界を考える

2020年4月4日、DiEMTVにて収録（抄訳）

Politics / Culture

以下に挙げるのは、ギリシャの経済学者ヤニス・ヴァルファキスの主宰するプロジェクト、DiEMTVにおける音楽家ブライアン・イーノとの対談である。イギリスと日本ではウイルス被害のあり方とその影響が著しく異なっている。まず死者数が5月6日の時点でおよそ3万人となり、欧州ではイタリアと並んで圧倒的に多い。そんな状況であるがゆえに3月下旬から都市は封鎖され、5月に入って一部緩和されたが依然としてロックダウンは続いている。また、イギリスでは医療従事者をはじめとするキイワーカーへの人々からの賞賛が続いている。

ヤニス・ヴァルファキス（Γιάνης Βαρουφάκης / Yanis Varoufakis）
1961年生まれ。ギリシャの経済学者、元財務大臣。邦訳に『父が娘に語る 美しく、深く、壮大で、とんでもなくわかりやすい経済の話。』（ダイヤモンド社）、『黒い匣――密室の権力者たちが狂わせる世界の運命』（明石書店）、『わたしたちを救う経済学――破綻したからこそ見える世界の真実』（Pヴァイン）など。

ブライアン・イーノ（Brian Eno）
1948年生まれ。イギリスの音楽家。「アンビエント・ミュージック」の創始者。『Discreet Music』『Music for Films』『Ambient 1: Music for Airports』など、代表作多数。初期ロキシー・ミュージックに参加、デヴィッド・ボウイやトーキング・ヘッズとのコラボレーションでも知られる。あるいは文中にも出てくるように、Windows95の起動音を制作したことでも有名。

## 社会の「不可欠な人員」に対して、我々はあまりお金を払っていない

**ヤニス・ヴァルファキス**　皆さんこんばんは。DiEMTVを代表して挨拶させていただきます。監禁状態でフラストレーションのたまるこの時期に、一時の逃避と希望を提供できたらという思いでおこなっている本対談シリーズの最新回にこうして皆さんをお迎えすることができて非常に光栄かつ嬉しく思っています。わたしの今いる、アッティカ（ギリシャ南東部）の海岸に近いエギナという小さな島から眺めると、コロナウイルスは我々の政治的な現実に三つの影響を及ぼしているように思えます。ごく手短かに、このウイルスが世界にもたらす影響について述べさせてください。

第一に、COVID-19は、２００８年の経済危機から始まり、以来様々な形に姿を変えて続いている各種のサブ・クライシスを実に見事に大きく拡大して見せてくれています。第二に、１９７０年代末からサッチャーとレーガンが主張してきた何もかもに反して、政府は公益のために大規模な行動に出られるし、また出なければならないことが証明されました。第三に、勝手気ままに暴れるちっぽけなリボ核酸（RNA）によって引き起こされたこの危機は、誰が誰に対してどんな権力を握っているのか、という政治の本質を一時的にあらわにしてくれています。

今夜の対談の質問はごくシンプルなものです。この状況は世界をどう変えるの

たとえば銀行家が皆そろって1年行方をくらましたとしても何の支障もないし、誰も違いに気づかない。ところが看護士たちが1年間消えるとしたら、その次の日にはたちまち大騒ぎになる。

——イーノ

か？　そして、今後起こり得るもっと険悪な展開のあれこれを食い止めるのに役に立つであろう、ポスト・ウイルス社会にとってのリアルな、実現可能なユートピアのヴィジョンはあるのか？　この質問に取り組むのに、DiEMTVのゲストとしてブライアン・イーノ以上にふさわしい人物はいないと思います。１９７０年代初期以来、十代だったわたしにとってのアイドルになったアーティストである彼のことを、過去5年ほどの間にDiEM25（註1）の共同設立者としてもっとよく知ることができて実に光栄に思っています。というわけで、今夜こうしてこの場でブライアン・イーノを「DiEM25の共同設立者」と呼べるのはわたしとしてもものすごく嬉しいですし、しかも自分が対談の仕切り役です。わたしはあんまり慣れてないんですけどね、仕切り役は。この対談はブライアンが主役なので。ともあれ、ブライアン、ウイルスを避けるためにあなたは今どこのタコツボに隠れているんですか？　わたしはどこに向かって話しかけているんでしょう？

**ブライアン・イーノ**　英東部のノーフォーク州にいるよ。ここはたぶん、イギリスの中でヨーロッパ大陸にもっとも隣接した地域だし、君が大学で講師をやっていたエリアに近いんじゃないかな。以前、ノリッジで暮らしていたよね？

**ヤニス**　ええ。でも、てっきりあなたはサフォーク（註2）にいるんだと思ってましたが？

**イーノ**　いや、（サフォークから）河を超えたお向かいのノーフォークにいる。

**ヤニス**　河越し？　ってことは、わたしが昔住んでいたところにすごく近いですね。

註1　ヴァルファキスが２０１５年に起ち上げた、ヨーロッパの民主主義改革運動（The Democracy in Europe Movement 2025）。哲学者のスラヴォイ・ジジェクやジャーナリストのナオミ・クラインなど、錚々たる面子が名を連ねている。イーノもその一員で、同運動のテーマ曲を手がけてもいる。

註2　イーノはノーフォークの隣のサフォーク生まれ。

ノリッジからイプスウィッチまで、よくバイクで飛ばしたものです。

**イーノ** ああ。たぶん、わたしの今いる村を通り過ぎていたんじゃないかな。

**ヤニス** わかりました。あのエリアをまたバイクで飛ばせる日を楽しみにしています。というわけで、この動画を観ている方たちからの質問をお伝えする前に、まず、あなたの考えを話していただけますか？　ウイルス後の世界の様子、がんばって勝ち取るに値する世界の姿とは？

**イーノ** もうその始まりは見えていると思う。過去何週間かでわたしが気づいたことのひとつは、人々の中に突如として「我々はお互いに対してまた親切になっていいんだ」と気づいてほっとした、の感覚があることでね。英国の政治状況をご存じの方なら誰でも、過去5年の間イギリスは非常に苦々しく不快な状況にあり、さんざん分断されてきたのはおわかりだと思う。怒りがあったし、それはメディアが煽る類いの怒り、特に、現政権を支持している手合いのメディアが煽ってきたもので、この5年というもの我々は二手にわかれて激しくやり合ってきたわけだ。思うに、コロナ危機を契機に過去何週間かで突如盛り上がったこのある種の団結ぶりというのは、単に「一蓮托生、誰もが同じ体験をしている」ばかりではなく、「自分たちはお互いを思いやり、親切に接し、助け合っていいじゃないか」の感覚もあるんじゃないかと。で、人々のムードは……いやもちろん、誰だってウイルスは怖いんだよ。ただ、それと同時にどこかこう、お互いをまた好きになることができて嬉しい、みたいな喜びがあるのは否定できない。というわけで、それは何かの始まりじゃな

いかとわたしは思うし、(危機が過ぎても) 覚えておきたいことだ。

　だから、ずいぶん長い間忘れ去られていた色んなもの、それを我々は再発見しつつあるようなものなんじゃないか、と。「他の人と一緒にいると楽しい」、「皆と一緒にクリエイティヴなことをやれる」、「四六時中娯楽が提供される状態に頼り切る必要はない」といったことを発見し直している。それに、自分たちのコミュニティの一角が非常に、非常に重要な存在であることも我々は再発見しているよね。何週間か前に、彼ら(英政府)はこの、「不可欠なサーヴィスを提供する従業員(essential workers)」なる定義を持ち出した(註3)。それは要するに「家にこもらずに外の世界で生き続ける許可が下りた」人たちということだけれども(笑)。で、おもしろいことに、今回「不可欠な人員」と分類された人々のほぼ誰もが、この社会においてもっとも賃金の低い労働者層のひとつに属しているんだね。要するに、「不可欠な人員」に対して、我々はあまりお金を払っていない、と。

　わたしの娘、次女は医者でね。まだ見習いの立場だから、今言った「あまり給料のよくない」カテゴリーに入る。ただ、素晴らしいことが人々の間で起きていてね。毎週木曜の夜になると、ロックダウンされている人々が自宅のベランダや庭に出て、我々のために働いてくれている国民健康保険サーヴィス(National Health Service)の人員に向かって拍手喝采を送るんだ。というか、NHS就業者に限らず、ありとあらゆる類いの「お世話してくれる人々」に向けての拍手であって、日常社会が円滑に続いていくのを助けているのはそうした広い意味での「ケアしてくれる人々」だ、

註3　3月後半、イギリスが封鎖され外出や移動の自粛要請がおこなわれた際に「これまで通りに通勤し自由に動けるのは不可欠な仕事に就いている公的／民間従業員のみ」と規定された。医療、教育、警察、公共福祉、物資物流業、食品販売業等がそれに当たる。

との認識が生まれているということ。たとえば銀行家が皆そろって1年行方をくらましたとしても何の支障もないし、誰も違いに気づかない。ところが看護士たちが1年間消えるとしたら、その次の日にはたちまち大騒ぎになる。というわけで、人々の中に「我々は何者なんだ?」、「自分たちの価値とは?」というある種の再評価が起きている。言うまでもなく、このニュースのいい所は、NHSはあと何年か安泰だろうってことだね!(笑)。英政府はNHSをアメリカの医療大企業に売り飛ばそうと画策してきたけれども(註4)、これで、それはちょっとやりにくくなるだろう。NHSの受ける重圧が少し軽くなってくれるのを祈るよ。

しかし、今我々の直面している状況というのは、ある意味興味深い瞬間なんだと思う。まず何より、我々は今まさに、文明の未来をデザインしているところだ、という点。これから先何ヶ月間かの間に我々のやることは、この先も長く、長く、本当に長く居座り続けるだろう。今のこの危機下で発令されたあらゆる類いの「緊急処置」は、いったん定まってしまうと取り除きにくくなる。そうした例は、どこでも空港に行けばすぐわかる。(2001年の)9・11時に発動した緊急令の名残りはいまだ続いているし、今後もそのまま続いていくと思う。そんなわけで、そういう社会になってしまわないよう我々は本当に気をつけなくてはならないんだ。恐れ、危機感、脅威に支配された社会にならないように。

では、それについてもう少し話させてもらおうかな。今後我々には何を目指すことができるのか、という話題には、また後で戻ってくるとして——で、思うに今現

註4 デイヴィッド・キャメロン前々首相以来政権を維持している英保守党は、緊縮財政方針により医療福祉等の公共事業予算を削減してきた。1948年に発足したNHSも人手やベッド不足で過去数年苦戦し批判にさらされており、ボリス・ジョンソン現英首相はアメリカ合衆国とのパイプ強化が予測されるブレクジット後のイギリスで、国民医療システムの私有化を目論んでいるのではないかという説もある。しかしジョンソン自身がコロナに感染し、この対談の3日後に緊急入院している。

在我々を危険にさらしているのは、国家に対する自主的な権力放棄みたいなものじゃないか、と。権力を一ヶ所に集中させるのにもっとも効果的な手段は人々がよろこんで自ら権力を放棄する状況を促すことだし、今回の危機はその完璧なお手本だ。先だってとある友人と話していてね。その人はわたしからすれば実にこう、「リベラルなアナキスト」的人物なんだけれども、現在中国で起きている監視国家ぶり等々についてふたりで話していて、彼が「やってもらおうじゃないか。今だったら、こっちでも同じことをやってもらうのは歓迎だ」と言ったんだ。でまあ——いや、今のように一刻を争う深刻な状況で、ついそう考えてしまうのは理解できるよ。ただ、そういう類いの感覚には、本当に慎重になる必要がある。というのも、一方に安全、それに対しての自由という、そのふたつの間に常になにがしかの対話が存在してきたんじゃないかと思うんだ。概して言えば、安全を確保すればするほど、我々は自由を犠牲にすることになる、と。で、安全な状況から一歩引き下がり、「いや、そこまで安全じゃなくたって我々は実はもう大丈夫だ」、「自由のためなら、今より少々危険な日常を送る覚悟は自分たちにはできている」と言うのは、非常に難しいことでね。それをやるのは、いつだって人々にとって難しいことなんだろうし、歴史的に見ても、人々が自らの安全を犠牲にした例はほとんどないと思う。個人がやる例はあっても、社会全体としてそれが起きることはまずない。もちろん、文明というのは概して、あらゆる面で更なる安全さを集積しようとし続けるものなわけだけれども。

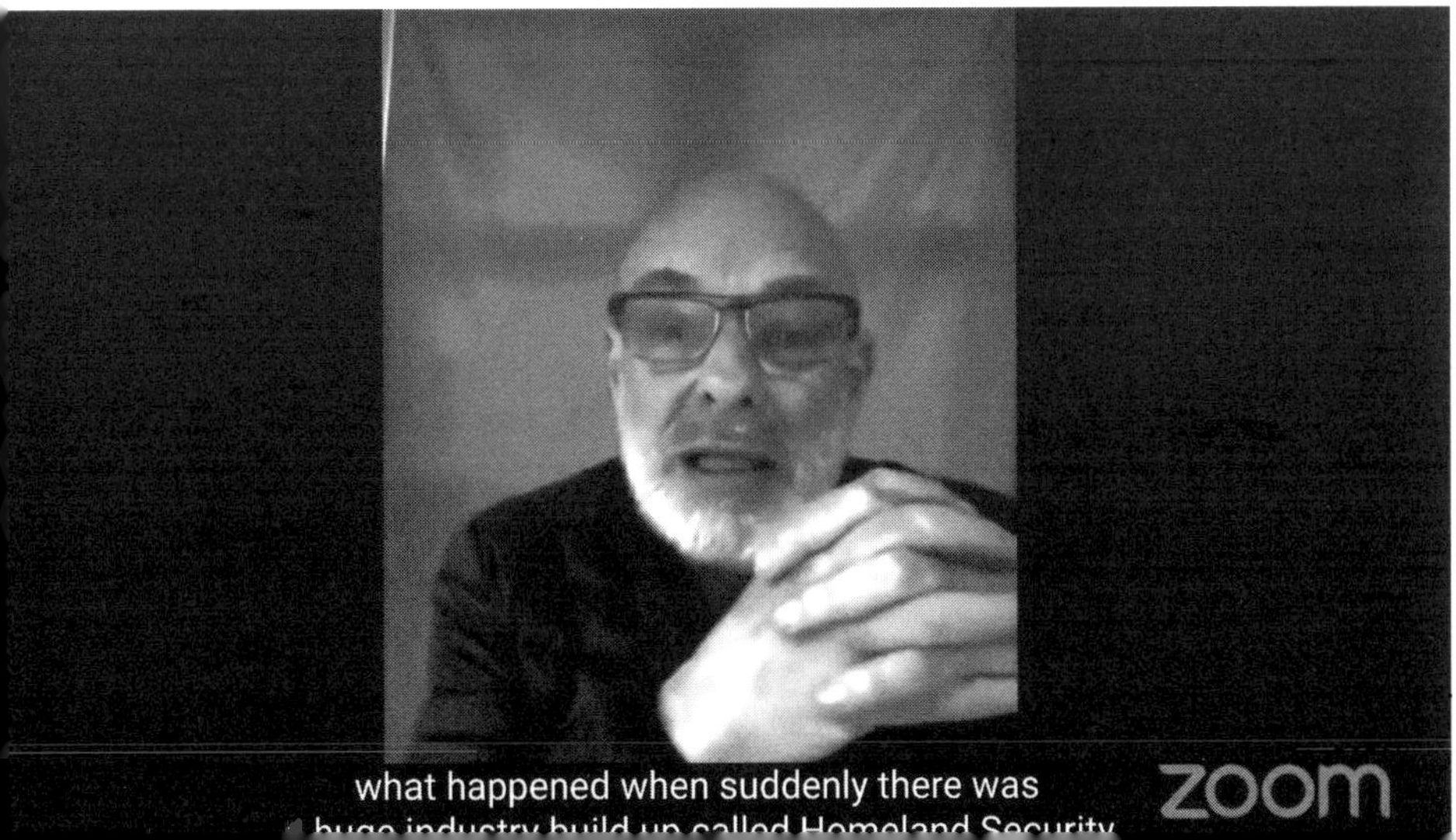

さて——権力をコントロールしたがる連中というのは、現在のような危機状況の価値をよく理解していてね。9・11の後に何が起きたかをちょっと考えてみればわかるだろうけれども、あの後に突如として「ホームランド・セキュリティ（国土安全保障）」なる巨大産業が立ち上がった。ホームランド・セキュリティには何百億ドルもの予算が割かれてきたものの、それが何のために存在しているか実は誰もわかっちゃいない。ただ、あれはいわばフィードバックを自給自足で繰り返すシステムでね。そこから、21世紀の誇るあの「安全上の理由につき（for security reasons）」なる素晴らしいフレーズが浮上することになった。こういうことはしてはいけません、というお達しが出されるときに使われるのがその「安全上の理由によりこれこれの行為は禁止」なわけだが、ある意味あれは疑問の余地のないフレーズでね。なぜそうなるかの理由を説明する必要すらない。我々はただ、「安全のために」これはやるな、あれはやれない、と命じられるだけ。で、それは基本的には、権力を持つ側が自分たちの行動を守るための手段であって。今の我々は、一種の戦時編成みたいなものに向かっているんじゃないかと思う。民主主義政府、あるいは「民主的に成立した」とされる政府にとって、コンセンサスに達する手段のひとつは脅威を作り出すことでね。あまりに大きいがゆえに、誰もが合意したがり、誰もが同じことに従いたがり、政府の業務に口出しして物事をややこしくしたりしなくなる、そういう脅威を。戦争は、それを達成するのにとてもいい手段だ。

自らの地位を脅かされた支配者たちのとる手段として、戦争がどれだけ頻繁に使

われたかの例は過去からも見てとれる。彼らは戦争状況を想定し、あるいは戦争を起こし、その原因を作り、また「きっと戦争が起きる」の見込みを語り（苦笑）、突如として国民たちは団結する——というか実のところは、団結を施行することが可能になるんだね。しかし、戦争をするには敵が必要になってくる。これまでの敵は、他の種族だったり、人種だったり、国家だったり、相容れないイデオロギーだった。つい最近では移民も敵にされてきたし、おかげで我々にはブレクジットがもたらされた（苦笑）。ただし、我々は今回他の生命体に対して宣戦布告したわけで、それは歴史上初のことなんじゃないかな。というか、さっき君も話していたように、この敵はそんなに大層な存在ですらなくて……なにせ、たかがリボ核酸なんだし（笑）。けれども、敵の役目はちゃんと果たしているよね、おかげで戦時下に生じる利益はすべてもたらされているんだから。それによって、社会的な自由を束縛する等々、色んなことが可能になっている。もちろんわたしだって、現在の状況下での様々な制約の必要性は重々理解しているよ。ただ、憂慮してはいるし、我々は皆とても慎重に注意して防がなくてはならないと思うんだ、これらの制約がそのまま凝り固まって残り、それが「ノーマル」に、我々の普通な生き方になってしまわないように。

というわけで、この危機のもっとポジティヴな側面に話を移すとしよう。わたしが今可能性として挙げてきた、いささかダークなそれとは違う未来図、「我々は果たしてどんな未来を想像できるだろうか?」という点について。こうなったら本当にいいのだがとわたしが思っているのは、ここ何ヶ月かの間に人々が学んできたス

キル、それらが今後我々が未来を築いていくやり方の一部になってくれたらいいなということでね。数ヶ月どころか、もしかしたらもっと長く続くかもしれないこの状況で、人々は社交術のスキルを、他の人間と共存し、助け合って働き、通常機能している産業が突然機能停止に陥ったことで生じた大きな欠陥を埋め、やり繰りする術を学んでいる。リチャード・セネット（註5）が昨晩、このチャンネルでとてもいいことを話していてね。彼いわく「団結は技術である（solidarity is a craft）」ということで、わたしはその「団結は皆で学び、皆で一緒にやっていくことであり、技術として実践し、磨きをかける必要のあるクラフトである」という発想は大いに気に入っている。要するに、黙っていても団結は自動的には発生しない。それにたしか彼は、「団結が怒りから生まれるとは思わない」ということも言っていたはずだ。そこも、わたしにはうなずけたね。単なる怒りの産物として団結をとらえないようにする、という。もちろん、怒りだってその一部に含まれてはいるよ。少々の怒りは我々にも必要だけれども、団結には反省、思いやり、考慮も必要だ。お互いのことを考え、「一緒に何をやれるだろう？　これまでやれなかったことで、皆で一緒に今やれることは何だろう？」と話していくという。というのも、思い出して欲しいのは、今や我々には実に多くの新たなツールが揃っている。それこそこうして今、そんなツールのひとつ（ZOOM）を使って話しているんだしね（笑）。何千マイルと隔たった場所にいても我々がこうして会話でき、しかもオンライン上で何千もの人々がそれを眺めていて、ある意味彼らもこの会話に参加してくれている。その事

註5　アメリカの社会学者。訳書に『クラフツマン――作ることは考えることである』（高橋勇夫訳、筑摩書房）など。

実だけとっても、団結という技術に使える新たなツールが存在するということだし、今後我々がそれらを用いていければいいな、と。

## 「別の未来図」を想像するということ

**ヤニス**――今話に出た、団結という点に関して、ちょっと割り込ませてもらっていいでしょうか。不可欠な人員は誰かが人々に認識されたという話は、わたしもグッときました。先日、DiEMTVに出てくれた我々の同志スラヴォイ・ジジェクのような人の話していたことは、実に当を得ているんです。彼いわく、今現在、大西洋のど真ん中に浮かぶ豪華なヨットで「自主隔離」している百万長者だの億万長者の連中は、お抱えの世話人たちを何十人と雇わない限りくそったれなヨットで自主隔離すらできないだろう。そこにも「サーヴィスに不可欠な人々」は存在しているわけです。

で、我々はDiEM25としてヨーロピアン・グリーン・ニュー・ディール案（註6）を出した際に、そうした今や「不可欠人員」と目されている人々に対しても団結の手を差し伸べる重要さを強調しました。進歩的な連中は得てしてそこを忘れがちで、彼らはこうして我々が今コミュニケーションに用いているツールの発明者たちは必要不可欠な存在だ、と言います。新たなテクノロジーのツールが進歩の証しであるのは間違いありません。けれども我々は、そうしたテクノロジーの数々を維持しメン

註6
経済の変革や持続可能な雇用の創出を目指すと同時に、環境の危機にも取り組む政策。より具体的には、欧州投資銀行（ＥＩＢ）の発行する債券によって資金を調達し、ＥＵのＧＤＰの５％をカーボンニュートラル（二酸化炭素の排出量と吸収量が同じである状態）の実現に投資する計画。なお、昨年末ＥＵのフォンデアライエン新委員長によって発表された「欧州グリーン・ディール」とは別物。そちらについてヴァルファキスは、目の前のことに追われ二酸化炭素のことなど気にかける余裕のないギリシャやポルトガルのような国々のことを考慮に入れておらず、ＥＵ加盟国間の不平等を強化するものであるとし、結局は現状維持的な実体なきものであると批判している。

テナンスしている人々、それは下水道局員かもしれないし、NHSのスタッフや社会福祉係、家から出られない老人に食料を届ける人々かもしれませんが、彼らを称え、彼らを取り上げることでその点を重視しました。そうした仕事は実にローテクではあります。しかし、それこそリチャード・セネットの言っていた「団結の技術」です。今やこうして、我々DiEMがやろうとしてきたその点にスポットライトを当てられる機会が訪れたわけです――我々に新たな発明は必要だし、その開発者たちをサポートしなくてはならない。けれどもそれ以上に、システムをメンテナンスしてくれる人々を支えていく必要がある、と。

　とはいえ、わたしがもっとはるかに心配していて、あなたにお訊きしたいのは以下の話です。ファシストの連中は、彼ら「メンテナンス係（コミュニティの必要不可欠人員）」たちに面と向かって、「君たちの面倒は我々がみてあげよう。君たちが再び自分に誇りをもてるようにしてあげる」と語りかけるのが本当に上手い。ムッソリーニ、マッテオ・サルヴィーニ、ドナルド・トランプ、という具合に。彼らは本当に達者です。というわけで、彼らファシストがこちら以上に巧みなおかげで、我々進歩派の仕事は困難になっている気がしています。実際に現場で団結のための仕事をしてくれている人々に対して、彼らファシストは、わたしからすれば偽の「自分は重要だ」という感覚をもたらしています――外国人、黒人、ユダヤ人、ドイツ人、パレスチナ人、まあ誰でもいいんですが、要するに「自分たちとは違う他の連中（The Others）」に対する嫌悪感、彼らを悪者扱いし敵対視することを根拠と

「このウイルスは、西洋社会における『ノーマル』を変えることになるでしょうか？　それとももう、我々は『ノーマルさの終わり』を迎えた、あるいは今まさにそれに直面しているところでしょうか？」

して。というわけでわたしからの質問は、メンテナンスをやってくれている労働者たちの心と魂とがボリス・ジョンソンや我が国ギリシャの首相キリアコス・ミツォタキス、ゴールデン・ドーン、ドイツのＡＦＤ（Alternative für Deutschland）といった国際的なナショナリストたちに争われている、そのまさにただ中で、このコロナウイルス危機をどう舵取りしていけばいいのでしょう？　です。

**イーノ**　まあ、ここ最近で、イギリスでは以前よりももっとはっきりしたんじゃないかと思う。ＮＨＳが実に長い間批判と攻撃の的になってきたことは国民誰もが知っているわけだが、そのＮＨＳは今や突然時代の英雄になった、と（註7）。ＮＨＳをやり玉にあげてきた張本人である政治家たちにとってすら、彼らはヒーローだ。だから今のこの時点のイギリスにおいて、その点は非常にはっきりしているし、曖昧さの余地はほとんどないと思う。我々も急に悟ったんだよ、「必要不可欠な労働者は誰なのか」ということを、そしてこれまでそうした重要な人員をサポートしてきた者、逆にサポートしてこなかった者は誰かに。だがもちろん厄介なのは、ファシストたちはいつだって平気で嘘をつくからであって（苦笑）、我々は嘘をつかないからね。彼らはとにかくその場であれこれでっち上げるし、メディアを器用にコントロールすることで人民に自分たち自身の発言を忘れさせるのが連中の頼みの綱だ。たとえば、ここ数日のトランプのやり口、あれには空いた口が塞がらない。彼は「いやいや、ずっと以前からわたしはこれが疫病と承知していた。こうなることはわたしには見えていた」云々と言い張り続けているし、しかもたくさんの人々がそれを

註7　コロナ危機以前のイギリスでは、緊縮財政の煽りを受けたＮＨＳの弱体化が折りに触れて批判されてきた。しかしＮＨＳ他の医師／看護人／ケアワーカーらが「ウイルスの前線」で感染死した数は１００人を越えており、4月28日には追悼の意味で彼らに対し1分間の黙禱が捧げられた。

FIRE
HYDRANT

Photo by Mariko Sakamoto

鵜呑みにしているっていう。彼がそれとまったく正反対な発言をしてきたのをチェックするのに、大して手間はかからないというのに。

でも、今起きているこうした点は、まだ続いているメディア側の問題が大きいんじゃないかな。我々は（ネット上での動画対談といった）新種のメディアについて語っているけれども、それでもやはり旧来メディアはしっかり存在していて、彼らは物事の周辺にある種の「雰囲気」を醸している。だから、わたしも君もある程度応援したジェレミー・コービンの選挙活動（註8）だけれども……

**ヤニス**　ですよね。

**イーノ**　あそこで目にしたとことん剝き出しなプロパガンダの横行、ジェレミー・コービンに関する人々の意見がどれだけ巧妙に英メディアによって操作され作り出されていたかの度合いは、イギリス政治史上でも類を見ないとんでもないものだったと思っている。あのとき、わたしは住宅訪問を軽くやってね、一軒一軒を回り「労働党に投票するつもりはありますか？」とアンケートをとったんだ。すると、よく返ってきた回答が、「どうもねえ、あのジェレミー・コービンって奴はとにかく虫が好かない」で。で、ずばり、それはどうしてですかと尋ねても、理由は非常に曖昧で、「さあ。ただなんとなく、そういう感じ」と。でもマス・メディアというのはそうやって「なんとなく」なフィーリングを作り出すのが非常に上手いんだよ。毛嫌いの根拠なんてなくたって構わない。マスコミ報道を逐一検証し、「これは嘘だ、これは違う、これは間違っている」と少しずつ正すことはいくらでもできるけれど

註8　ジェレミー・コービンはイギリスの現野党である労働党の前党首。労働党の根幹である社会主義を打ち出したコービンは若者や進歩派からの支持を得た古参政治家だが、右派メディアからは「共産主義者」と危険視された。昨年12月の総選挙での労働党惨敗の責任をとり4月に辞任し、新たにキーア・スターマーが労働党党首の座に就いた。

も、曖昧な煙は残り続ける。妙な匂いは追い払えない。

**ヤニス**　泥を壁に投げつけると、その跡はいつまでも残る、と。ではここで、よろしければ動画を観ている皆さんからの質問に移らせてください。たとえばこれは、すごくいい質問だと思います。「このウイルスは、西洋社会における『ノーマル』を変えることになるでしょうか？　それとももう、我々は『ノーマルさの終わり』を迎えた、あるいは今まさにそれに直面しているところでしょうか？」です。

**イーノ**　我々はここしばらく「ノーマルさの終わり」に向かい合ってきたよね、うん（笑）。今回君からこの対談のタイトルを「ウイルス後の未来」と伝えられたとき、実は自分には未来がどうなるのやら、さっぱり想像がつかなかったんだ（笑）。ただ、こうなったらいいなと自分が願っているのは何か、そしてこうなったら怖いなと思うのは何か、そこは自分にもわかっていて。しかしまあ、おそらくそのふたつとそれ以外のあれこれの混じり合ったものが結果として生じる、その可能性が高いだろう。だから「ノーマルの終わり」は既に起きてしまったと実はわたしは思っていてね。今後（ウイルス禍が終息しても）我々は諸産業をたちまち以前通りに復旧し、9時5時仕事にすんなり復帰することもないんじゃないかな。非常に多くの物事が変わっていくだろうね。たとえばさっきも言ったけれど、今君とやっているこれ（ヴィデオ会議）。だから、今回の危機のせいで、どれだけの数のビジネス会議が中止になるだろう？　と。人々も「だから、ＺＯＯＭで会議すればいいんでしょ。問題なし、事足りるし、ＺＯＯＭに限らず他にプラットフォームはいくらでもある」と考

いったんこの胸くそ悪い危機状況が終わった途端、「のど元過ぎれば」という感じで貧困のレヴェルはこれまで以上になり、様々な変化もたちまち元通りになる恐れはないのだろうか？　と。
——ヴァルファキス

えているし、それでフライトが何本キャンセルされることになるだろうか？　と。

**ヤニス**　しかし、人々は昔通りの悪いクセにすぐまた戻ってしまうのではないか、という点は心配じゃありませんか？　高速道路で停車させられたときとちょっと似ていますかね。時速１２０マイル（１９３キロ）で飛ばしていた、と。でも走行ゾーンは時速70マイルが限界で、警察に停車を命じられる。罰金を言い渡され、それでしばらくはのろのろと時速72マイルか68マイルくらいで流して行くわけですが、20分ほど経っても停車させられないので、ここぞとばかりにまたスピードを上げてしまう。

　ですから、いったんこの胸くそ悪い危機状況が終わった途端、「のど元過ぎれば」という感じで貧困のレヴェルはこれまで以上になり、様々な変化もたちまち元通りになる恐れはないのだろうか？　と。というのも、中央銀行から金融セクターにとんでもない額のお金が注ぎ込まれていて、その額は天井破りになるでしょうし、『ウォール・ストリート・ジャーナル』や『ファイナンシャル・タイムス』紙は資本主義の素晴らしい回復に大喜びするはずです。けれどももちろん、ケア・ワークといった職種に対する本格的な投資は落ち込むことでしょう。誰も気にしちゃいませんからね。なので、事態はまたノーマルに戻ってしまうだろう、と。

　正直、わたしは２００８年に転換点を迎えたなと感じたんです。あれはたしかにターニング・ポイントだった。あれ以来資本主義は、少なくとも投資型でグローバルな資本主義は、あのダメージから完全に立ち直ってはいません。にもかかわらず

我々は今日こうして、２００８年に引き起こされた金融危機並みの資本の強化・加速を経験していますし、社会の大半は今まで通りの動きを許しています——先ほど話に出た、ジェレミー・コービンに対する批判が内面化され、「なんだかコービンは胡散臭いぞ」と思われてしまったように。やはり「火のないところに煙は立たない」わけですしね。そうやって危機は乗り越えられていくし、それくらいシステムは頑丈にできている、と。というわけで、これから先の2年、3年、いや5年後に、このCOVID-19もまた、２００８年が現在思い返されているのとさして変わらない具合に思い出されるのではないか、そんな感覚はあなたにはありませんか？　これまでと同じ古い体制側が、これまで通りの一群のシステムを復活させ、「余剰予算があることの重要さ」云々の汚い罠を仕掛け、大多数のために国家がお金を作り出すことを繰り返し要求している連中と闘おうとするのでは？　と。

**イーノ**　うん、それは大いにあり得ると思う。思うに、我々の使命はそうならないように防ぐことであって。とりわけ、それは本当に、特にアーティストにとっての使命だとわたしは思う。アーティストというのは、ある意味、「別の未来図」を想像するための素材みたいなものを提供する人々でね。アートでやれることのひとつはそれだ。アートは「自分の生きる世界とは違う世界で生きてみたらどんな感じだろう？」と経験しようとする方法のひとつだし、その世界はもしかしたら、チャールズ・ディケンズの小説のように入り組んだ世界で表現されるのかもしれないし、『戦争と平和』かもしれない。あるいは、１枚のポップ・レコードくらいシンプル

なもので表現されるかもしれない。要するに、アートを作るときに何をしているのかと言えば、（自分の生きる世界とは）異なる価値観や関係性等々を体験する、そのチャンスを自らに与えるってことなんだ。というわけで、我々は本当に、今こそ腰を入れてその作業を始めなくてはならない。そこは本当に使命になるべきだよ。それをやれる期間は短いけれども存在するし、人々がまだこの時期を覚えている、できれば、どうにかある種の愛情と共に記憶していてくれる間にやらないと。たとえば、英国民がいまだにブリッツ（註9）を彼らの人生最高の思い出として思い返すようにね（笑）。なぜあの体験が素晴らしかったのか？　と言えば、あれは彼らが彼らの人生で味わった、おそらく唯一の「一体感」だったからだろうね。「皆と一緒だ」の感覚があり、誰もが本当に何かの一部だった。思うに、人類にとって何よりも大事なこと、お金以上にもっと大事なのは、所属意識なんじゃないかな。「自分は何かの一部だ」という感覚。人々はその感覚が好きだし、それが欠けていると恋しくも思う。で、その感覚が欠如していると、人々はそのギャップを色々なまがいものの「所属意識」で埋めるわけ。やれ「何かを所有する」だの「あの真っ赤なスポーツ・カーを手に入れてやろう」だの。でもそれはある種、本当に意味のある何かの一部に実際になっているという意識、その代替物でしかない。で、これからしばらくの間、たぶんこの先3、4、5年くらいは、人々もこの時期を思い出すと思うんだ。というのも、我々の日常がものすごい勢いで変わったからね。

だから、我々がやらなくてはならないのは、このストーリーを語り続けること

註9　Blitz：ドイツ軍が1940年から41年にかけてイギリス全土におこなった空爆。

――この時期に起きた、スペシャルで、他に類を見ない、ポジティヴな、素晴らしい出来事を語っていくことであって。多くのアーティストがそれに取り組んでいってくれるとわたしは思っている。だから、この危機の悪い面は我々ももう知っているわけだよ。ひどいものだ。人々はバタバタと死んでいるし……外出できず、大家族が狭い部屋に押し込められて暮らすしかない悲惨な状況だったり。そうしたあれやこれや、悪い面は我々も知っている。だからこそ、それと同時に、我々はここから何かを学べるはずだ、その面も思い出そうとしていかなければならないんだ。

## 「COVID-19はネオリベラリズムに終焉をもたらすことになるでしょうか？」

**ヤニス**　そのお話はとてもよくわかります。というのも、わたしには軍事政権独裁下に育った思い出があるので。いつなんどき軍警察に家に踏み込まれ、父、母、叔母に襲いかかるかもしれないと、わたしたちは常にビクビクしながら暮らしていたものです。軍警察は実際にそういうことをやっていましたから。単なる他愛のない恐れではなく、当時はそういう事件が起きていた。ところが、あの軍事政権下の鉄拳政治による悲惨な抑圧、あの美しさというのか、よかった点というのは、くそったれな「敵」が見えたことなんですよね。彼らは制服を着ているか、乱暴な暴徒のみてくれでしたし、そういう連中がわたしたちの家に踏み込み、家人を連行してど

こかに連れ去ってしまう、と。

というわけで、この動画を観てくださっているオーディエンスからの質問に移ります。この回答はわたしにはわかっていますが、大事な質問であることに変わりはないので、敢えて発します。「これでネオリベラリズムは終わりを迎えるのか？」

ですから、ネオリベラリズムの厄介なところというのは、軍事独裁政権であったり、あなたのおっしゃっていた、ユンカーズ（註10）が実際に目に見えたブリッツ英本土空爆体験とは違うところなんですよね。ドイツ空軍であれば、見えます。夜空を見ていれば航跡がたどれるし、どこから爆弾が落ちて来るのかがわかる。敵がいつ来襲するかは見てとれる。ネオリベラリズムの違いというのは、誰の過ちでもないことでしてね。これはカール・マルクスが『資本論』第1巻で非常に見事に、生き生きと、詩的に述べていることですが、資本家を責めることはできない、なぜなら彼らは恐れを抱えて生きているからだ、と。労働者を搾取しなければ、資本家は破産します。破産すれば、資本家も労働者と同レヴェルに落ちる。そのレヴェルに落ちたら、資本家の人生はおしまいです。その恐れがあるゆえに、資本家はプロレタリアートを締め上げ続け、エベネーザ・スクルージ（註11）のごとく労働者から絞り上げた資産を一銭残らず投資せずにいられない。それはみじめな生き方ですよね、もちろん、銀行家は除きますが。言い方を変えれば、ネオリベラリズムにおいては、仮に我々や我らの仲間たちをつぶそうとしている政府閣僚の誰かひとりでも、こちらの主張に納得させられた、あるいは納得させられたと公に認めてしまったら、彼

らはたちまち職を失うことになるだろうな、とわたしも気づいたんです。まるで、「こいつの言うことには耳を傾けない。その意見に納得してしまったら自分は終わりだ」と意固地になっている人間相手に悪戦苦闘するようなもので。ですから、結局のところ誰も落胆しないというか、その「誰も責めることはできない」というのが、ネオリベラリズムの非常に強烈な、ある程度のところまではもはや元に戻しようのないパワーというわけです。最終的には誰も責められない、と。というわけで質問は、「COVID-19はネオリベラリズムに終焉をもたらすことになるでしょうか?」です。

**イーノ** ちょうど興味深いエッセイを読んだところでね。ダグラス・ラシュコフの「Post Human Utopia」という題のエッセイ(註12)で——読んだかな? 果たして最近の文章かどうかはわからないんだが。

**ヤニス** はい。

**イーノ** そのなかで、彼は会議に出席したときの模様を書いていてね。彼はとある会議に招かれ、そこで未来について、これからどんなテクノロジーが生まれるか云々に関するスピーチを依頼された。で、彼は会議に参加し——講演費は彼の大学講師としての1年分の給与の半分に匹敵する額で、すごい額の報酬だった。その会合にはたった6、7人しか同席していなくて、全員非常に豊かな男性陣という顔ぶれ。で、会議に参加した連中が本当に知りたがっていたのは「どうやってここから脱出するか」、「どうやったら我々はこの状況から抜け出せるか」ということだった。

註10 ナチス・ドイツの主力爆撃機だった中型双発爆撃機。

註11 チャールズ・ディケンズの中編『クリスマス・キャロル』の守銭奴な主人公。

註12 ダグラス・ラシュコフはアメリカのメディア理論家。訳書に『サイベリア——デジタル・アンダーグラウンドの現在形』(大森望訳、アスキー)など。ここでイーノが触れているエッセイは、語られている内容から推すに、2018年7月に発表された「Survival of the Richest」のことと思われる。

彼らは既に、事態はおしまいに向かっていると見越していて、すなわち未来はないと思っていたんだ。ちなみに、彼らは別にコロナウイルスについて話し合っていたわけではないんだよ。それ以前におこなわれた会合だし、コロナ云々ではなく、「未来はお釈迦になっている」という大まかな概念についての話し合いであり、ゆえにテーマは、そのダメになった未来から我々はどう脱出するのか、どうやって自分たちを守るか、という。で、こうした人々というのは、巨大牧場をいくつも所有し、それこそ「プロレタリアの警備員」（苦笑）を山ほど雇って周囲にはべらせ、ネヴァダ州かどこかで暮らしている連中と同じ人たちでね。未来はもうないと本気で考えている、そういう人々が彼らなんだ。

　さて、社会におけるもっとも豊かな層がこうした人々なわけだが、わたしにとって興味深いのは、彼らが既に、何らかの形で社会を導いていく、あるいは社会を形作っていこうとする努力を諦めてしまっている、ということで。彼らはとにかく、自分たちの世界、権力、特権を守ることしか考えていない。自分たち以外の他の奴らはどうなっても構わん、地獄で焼かれろ、と。で、彼らのような連中が諦めてくれたのは、わたしからすればある意味励みになる話でね。向こうが諦めてくれたのなら、運が良ければ、我々が賢く動きさえすれば、我々には乗っ取れるかもしれないんだから。今回の危機を越えた後で、何もかもがそれなりの「ノーマル」に逆戻りしてしまう、という２００８年と同じ筋書きを我々は繰り返すわけにはいかない。だから、こう発言していかなくてはならないんだ——「いいかい、我々も今や悟っ

アートは「自分の生きる世界とは違う世界で生きてみたらどんな感じだろう？」と経験しようとする方法のひとつだし、その世界はもしかしたら、チャールズ・ディケンズの小説のように入り組んだ世界で表現されるのかもしれないし、『戦争と平和』かもしれない。

——イーノ

Photo by Mariko Sakamoto

たんだ。社会福祉事業は大切だし、ケアは重要だ。社会の中で生きている人々に対して社会のやれることはケアすることであり、それに対してきちんとお金を支払う必要がある」と。だから、今回は非常にいいタイミングになると思うんだよね、「租税回避地を撤廃しましょう」と声を出していくのに。今だったら、本当に多くの一般民からの支持を集められると思う。

**ヤニス** （割り込んで）ひと言いいですか？　その話をもっと突っ込みたいんですが。

**イーノ** どうぞ。

**ヤニス** 実はわたしも、自分のユートピア本を書いているところなんです。5月までに書き終えなくちゃならないんですが、そこで自分の望むこれからの世界の姿はどんなものかについて書いていまして。その世界でわたしの禁止したいことのひとつが、租税回避地の禁止――というか、株式市場を廃止すれば、租税回避地を禁ずる必要すらないかと。たとえば、大学なり、アート・カレッジなりに入学すれば、学生は大学図書館カードをもらえますよね。図書館カードは他人に譲渡できないし、それで何かすることもできません。その教育機関の学生ではない限りカードはもらえないし、それを利用するのは大学図書館にアクセスできる特権を得るためのみ。なので、わたしの生きたい社会というのは、入社した時点で社員の誰もが図書館カードのように株をひとつもらえる企業が存在する社会ですね。図書館カードと同様、その株を売買することはできないし、株を持ちたければその企業で働く社員になるしかない、と。

**イーノ**　いいね。それはいいと思う！

## なぜアートが重要なのか

**ヤニス**　ここでふたつ質問していいでしょうか。お好きな順番で答えてくださって結構ですので、読み上げます。ひとつは、ブライアンの長年の大ファンとしてお訊きしたいのですが、「ポスト資本主義／アポカリプス後の新たな世界のための新たなカルチャーとアート」について何か語っていただけますか。もうひとつは、我らのDiEM仲間であるスレチコ・ホルヴァート（註13）からの質問で、彼いわく「DiEMTVに登場するゲストの皆さんは、話しているときに顔を触り過ぎです」とのことで――

**イーノ**　（笑）そうかな??

**ヤニス**　（笑）彼によれば、わたしたちふたりとも触っているそうです。自分じゃ意識すらしていませんが……ともかく、それで誰かに「昔ウィンドウズのスタートアップ音でやったように、ブライアンにソーシャル・ディスタンシング向けの着信音を作ってもらえないかな？」と尋ねられたそうで。というわけで質問は、「DiEMTVで誰かが顔を手で触るたびに発するアラーム音をブライアンに作ってもらえないか？」です。

**イーノ**　（苦笑）今の状況で、まず真っ先に自分がやろうとするようなことではない

註13　クロアチアの哲学者。ジジェクとも共著を出している。DiEM25のメンバーであり、この対談の翌週DiEMTVに出演。

なぁ、それは！（笑）でも、検討させてもらうよ。

**ヤニス** お笑いの質問でした。でもまあ、最初の質問、ポスト資本主義、ポストCOVID-19の世界のアート、この質問はいかがでしょう？

**イーノ** うん。もちろん、それはわたしがよく考える類いの事柄であって……思うに、我々がアートについて語ろうとする際に常に問題になることのひとつは、なぜアートが重要なのか、そこが誰にもわかっていないという点じゃないか、と。食料が大事なのは皆知っているし、運動が大切なことは誰もが理解している。けれども我々は、なぜアートが大切なのか本当はわかっていない。それはどうしてかと言えば、部分的には、これまでアートについて論じ書いてきた人々は、得てして思索家として非常に質が悪かったからで。思考面で非常に不明瞭で、かつそれを明快に表現するのも下手、と。これはぜひディスカッションしたい点だね。対談の残り時間のこともあるから、少しだけ脇道に逸れさせてもらい、これについて何か話すとしよう。

**ヤニス** どうぞどうぞ。あなたのプラットフォームですから。

**イーノ** オーケイ。まず、子供が遊ぶのは当たり前だよね。遊びを通じて子供たちは世界を理解する。遊びながら何かに触り、ぎゅっと握り、何かのふりをしてごっこ遊びをしたり、子供は我々の言うところのあらゆる「遊び」をしている。そこで、誰も子供に向かって「そんなことをしても時間の無駄だ」とは言わない。遊びは明らかに、社交のスキルや身体を動かすスキルを学び、世界を把握するために不可欠

な一群のツールだ、と。ところが、子供が学年に達したところで、「さて、これからちゃんと勉強し学びましょう」ということになる——あたかも、それまでの長い間子供が何も学んでいなかったかのように。そこからすぐに、この子は遊んでいると言われることが、一種の批判になっていく。「遊んでいないで勉強しなくちゃだめだろう」と。

そんなわけでわたしのセオリーは、実はアートというのは、人間が生涯を通じて遊び続けるための方法じゃないか、と。何かのふりをし、素材について様々なやり方で考え、物事がどんな風にまとめられているかを眺め、何かにエキサイトさせられる自分に気づき、なぜ自分はそれにエキサイトさせられるのだろう？　と考える——そういったアイディアとずっと関わり続けていくこと。これをやるためのわたしのフォーミュラは、子供たちは遊び、遊ぶことを通じて学ぶし、大人はアートを通じ、アートを経験することで学ぶ、でね。それは、実際に遊ぶこと、すなわち実際に自分でアートを作ることでもやれる。それをやっている人々は、我々が思っている以上にはるかにたくさんいる。というのも、ここでわたしの言っているのは、衣服を作る者や、料理人なんかも含んでいるから。だから、何かを築いている者、無から何かを生み出す人は、わたしにとって、皆アーティストなんだ。で、我々は生涯を通じてアートとの関わりをやめないんだよ。自分で何か作るか、そうではなければ他の人間の生み出したものを鑑賞しているわけだから。誰かの作った音楽を聴いたり、ダンス・パフォーマンスを観に行ったり。

南ロンドンの休業中のパブの壁面に書かれた「COVID フューチャリズム」「ケアの経済」「ユニバーサル・ベーシックインカム」「資本を埋めよ」とのメッセージ。

Photo by Mariko Sakamoto

では、そうした人間の活動すべてのポイントはどこにあるのだろう？　というのも、我々は実に多くのそうした活動をやっているからね。で、基本的な難関を越えたとき、生き延び、生きるのに足るだけの食料――そんなに山ほどの食料じゃなくてもいいんだが――が手に入る状況になると、人間が最初にやるのは、アートを作ることなんだ。彼らはすぐに踊り始め、歌い始め、何か書き始める。彼らは何をやっているんだ？　どうして彼らはこんなにたくさんの営みをやっているんだろう？　思うに、人間にとってもっとも不可欠な要素、我々が知る限りのこの世界／宇宙にいるどんな存在とも我々を本当の意味で区別している唯一のものというのは、我々の有する想像する能力なんだね。我々の精神の内にしか存在しない何かについて考え、それを検証する能力、という。だから我々は皆ひっきりなしに、自分たちのマインドの中で別の世界を作り出しているんだ。たとえその別の世界が、些細なこと、たとえば「ジーンとジョンと一緒に、金曜の晩にあのレストランに食事に行ったらどうなるかな？」といった程度のことを思い浮かべてみるものであっても。それだってクリエイティヴなことなんだよ（笑）。活発な想像力が働いているんだから。

　というわけで、人間がやっているのはそういうことだし、だからこそ我々は「種」として特別な存在であり、おかげでこれまで生き残れてもきた。で、上手に使いこなすためにその能力を常にリハーサルし、繰り返し使い続ける必要がある。

　ともあれ、先ほどの質問に対する答えとしては非常に遠回しな言い方になったけ

れども（苦笑）、自分たちの生活エコロジーにおけるアートの重要性を、たとえば食料やエクササイズ、情報伝達の重要性を承知しているのと同じように我々が理解し始めれば――この、意図的で、常に続いているイマジネーションの活動であるアートの重要さを理解し始めれば、我々はアートを真剣に捉え始めるし、「これは我々に必要なものだ」と考えるようになるだろう。そうすることで、あの、学生にとって重要なのはSTEM科目の学習だけ、という悲惨な発想から逃れられるんじゃないかな。イギリスでは「ステム」と呼ばれている、S＝サイエンス、T＝テクノロジー、E＝エンジニアリング、M＝マスマティックスの4科目。もちろん、それらも素晴らしいものだがね。

## ミニマリズム、ストイシズムに価値を見い出す

**ヤニス** ここでもうひとつ、視聴者からの非常にいい質問を。これは手強い質問で、わたしにも答えがわかりません。質問は、「あなたたちは第一世界、先進国側の立ち位置から話をしています。南（後進国）に向けて、我々がウイルスに打ち勝ったら何を期待できるか、お話しいただけますか。わたしたちには今後、さらに混乱した、不公平な世界が待ち構えているのでしょうか？」です。

**イーノ** それは答えるのが非常に難しい質問だな。というのも、「これ」というひとつきりの回答では収まらないから。差がありまちまちで、場所によって様々な違

いが生まれるだろうし。というわけで、「こうなるだろう」とひとつの予想を立てるのは難しいと思うけれども……我々の経済の中にネオリベラルな構造が存在する限り、苦しむのはいつだって第三世界なんだろうね。発展途上世界は常に不利な立場に置かれることになる。というのも、ネオリベラリズムの大きな成功、偉大なる勝利というのは、富の創造というよりも、むしろ富の集約にあるわけだから。で、その過程は、一切待ったをかけられることなく、加速し続けている。より多くの富が、ますます限られた数の人々の手に集中しているわけだし、現在のこの状況における何ひとつ、そのプロセスのスピードを落とすことにはならないだろう、わたしはそう思っている。ただ、「もしかしたら、速度を落とすきっかけになるかもしれない」と思うことがひとつあって——おそらくわたしもそこに力を添えるべきことだろうけれども——それは「富裕さ」に対する姿勢の変化、ということでね。「豊かであること」は、今後非常に下品で、醜悪で、粗雑なものと思われるようになるんじゃないか、と。だから、バカバカしいほど高価な車を乗り回している人間に対して感じるあのフィーリングがあるだろう？「こんな車に乗ってる男は、きっと貧相なイチモツの持ち主に違いない」(苦笑)、こんなにデカい車を欲しがるってことは、きっとモノが小さい奴だろう、と。だから、もしかしたら人々の中に、富に対する姿勢のスタイル面での違いが起こるかもしれないな、と。

それは、経済学的な観点からすればちっぽけなことと思えるだろうけれども、実際に人々の中に違いを生むんじゃないか、わたしはそう思っている。たとえば、ご

子供はあらゆる「遊び」をしている。誰も子供に向かって「そんなこと時間の無駄だ」とは言わない。ところが子供が学年に達すると「これからちゃんと勉強し学びましょう」ということになる。あたかも、それまで子供が何も学んでいなかったかのように。

——イーノ

存じのように、アート運動の中にミニマリズムというのがある。ミニマリズムは、おそらく50年くらい前に起こった運動で、あの当時かなりラディカルなものと思えたんだね。というのも、あの運動は「多ければ多いほどよい」という発想、「細部まで凝れば凝るほど、豪華なマテリアルを使えば使うほどベター」という考え方に疑問を発したわけで。ところが、そうしてもともと様式として始まった概念であるミニマリズムは、そこから絵画や音楽等々にも取り入れられていき、今や一種の社会的ムーヴメントにまで移し替えられている。あの、近藤麻理恵（註14）という女性の書いた本があるよね。あれはまあ、要は中流階級向けのインテリア・デザイン本なわけだけれども、あそこから伝わってくるのは、「物が少ない方が、実は物が多いよりも興味深いのかもしれない」という発想で。「物が少ないのはかっこいい。物があふれかえっているのは、なんだか下品だし、派手でやり過ぎじゃない？」と。で、こういう考え方は、誰も決して真剣に捉えないものでね。というのも、この手の発想が社会に影響を与えるまでには長くかかるから。けれども、最終的には社会に確実に影響を及ぼすものなんだ。だから、それは違いをもたらすとわたしは思っている——ここで言っているのは個々人の生活面での切り捨てであって、欧州中央銀行のやっている緊縮財政のことではないけれども（笑）、パーソナルな無駄を切り捨てること、ストイシズムに一種の価値が見出されるんじゃないか？　と。

**ヤニス**——倹約（parsimony）ですね、デイヴィッド・ヒューム（註15）の話していたような。

註14　2010年の著書『人生がときめく片づけの魔法』（サンマーク出版）がベストセラーとなった「片づけコンサルタント」。通称こんまり。ネットフリックスの番組をきっかけに、アメリカなどで時の人となった。

註15　イギリス経験論を代表する18世紀の哲学者。著書に『人間本性論』など。ドゥルーズが影響を受けたことでも知られる。

イーノ　ああ、倹約ね。で、こうした事柄がスタイル面での声明になっていくと、何か大きな変化になるんじゃないか、わたしはそう思う。で、話しているうちに、最初の質問が何だったかわからなくなってしまったんだが……。

ヤニス　発展途上世界に関する質問です。

イーノ　そうだね、そうだった。

ヤニス　ここで、経済学者として少しだけ話をさせてください。つい先週のことですが、発展途上世界からマネーが大規模に引き揚げられていまして。いわゆる「スマート」・マネー（註16）が、これらの国々は成長すると見込んだ投機家たちによって、開発国にどっと流れ込みました。そりゃそうです、スマート・マネーの出番ですよ。で、バブルが生まれる。おかげで多くのオリガルヒ（註17）も活気づきますし、彼らのような連中は高級車のメルセデス・ベンツを何台も買う。さっきあなたがおっしゃっていた、「モノがお粗末」なのでデカい車を買いたがる手合いはそうやって資産をむさぼるわけです。で、彼らは第一世界に資産を向けるわけですが、第一世界に危機が訪れた途端、スマート・マネーはたちまち国外脱出してしまう。スマート・マネーは現地の通貨価値に介入するものですし、それが国外に出ることで通貨価値の落下が加速する。しかしスマート・マネーは投機家の手元に戻ってしまい、その後には何も残らない。そうした状況が、非常に大規模に、先週から起こっています。これほどの資本が発展途上世界から逃げ出したのは１９７０年代以来初のことですし、残念ながら、わたしたちはそこで団結を訴えるようなリーダーのいる世

註16　「先見の明がある」「賢い」とされる（プロの）投資家たちの資金。その動きを適切に読むことが、他の投資家たちにとって指針になる。一般の投資家たちの資金は「ダム（愚かな）・マネー」。

註17　ソ連時代に形成された、ロシアやウクライナなどの新興財閥。政治に強い影響力を持つ。

界には生きていません。ですから我々はムーヴメントとして、DiEM25として、進歩的な国際人として、その点について考えていかなければならないんです。なぜなら、西側諸国の個人が倹約したところで、発展途上世界で産業が壊滅している、その問題の解決にはならないでしょうから。

**イーノ**　ああ、そりゃもちろん！　もちろん、物事はそう（個人の節約／切り捨てレヴェルでは）進まないよ。ただ、「自分はどう振る舞うのが／生きるのが正しいだろうか」という感覚において、人類は実際進化していくものだとわたしは思っていて。だから、気候変動に関する姿勢も今や変化しているわけで、それもそうした進化のひとつだ。我々も今や、人類もこの惑星の全生態系の一部に編み込まれた存在であるのを認識しているし、エコロジーに対するかつてのような姿勢、好きなだけいただいてきて利用できる無尽蔵な資源保管庫か何かのように自然を使い、そこから生じた物質はどこかの川にでも捨てればいい、という姿勢はこれ以上持てなくなっている。そういう考え方は、我々はもはやしなくなっているよね。だからこうした変化はちゃんと起きるし、そうした変化はそれこそもう、大抵は美学的な変化から始まるものだ、と言っていいくらいで。最初のうちは科学的な根拠に基づいているとは言えないし、ほとんど「フィーリング」に近いものでね。「なんとなく、こういう生き方って、もう正しいとは思えないんだけどなぁ」みたいな感覚。

　で、こうした感覚と関わっているのはアーティストだし、彼らが何をしているのかと言えば、彼らは絵画や音楽などを経由してそういうアイディアをソリッドな形

にすることで、その手の感覚を他の人々と交換し合っているんだよ。そこで、アートを体験した人々も「ああ、他の皆も、これらの事柄に関して同じように感じているんだな」と気づく、という。で、そこ、そこが重要な側面なんだ。君は『Everything Was Forever, Until It Was No More』という本は知っているかな？あれはたしか、アレクセイ・ユルチャクという名のロシア人作家が、ソビエト連邦の終わりについて書いた本でね（註18）。そこで彼が書いたのは、ソビエトが崩壊する前夜まで、連邦は頑強で、ちゃんと存在していて、永遠に続くものに思えた。ところが一夜明けたら、突然それは消えていて、それでも日常は続いていった、と。だから、物事は本当にあっという間に変わり得るものなんだ。けれども彼は、あの本の中で非常に興味深いことを言っていてね。今思い出せる限りで言えば、彼が言っていたのは、革命にはふたつの段階があった、ということで。第一段階は、誰もが「これはどうもよくない、おかしいぞ」と気づいたとき。けれども重要な段階は、その次に起きた「これはおかしい」と気づいた人々が、他の皆も彼らと同様に「おかしいぞ」と思っていることに気づいたときだ、という。

**ヤニス**――変化の発想ですよね。「これはやばいぞ」と誰かが気づいたことを他の誰かも察して、変化が起きる。

**イーノ**――うん。だから、わたしはある意味楽観視しているんだ――今世界にいる億万長者たちがみんな冥王星かどこかに避難して消え失せてくれて、そこで自分たちだけのバブルの中で暮らすようになれば、と。

註18　邦訳『最後のソ連世代――ブレジネフからペレストロイカまで』（半谷史郎訳、みすず書房）。

註19　『スター・トレック』おたくのあだ名。

**ヤニス**　でも、そうはならないんですよ！

**イーノ**　（苦笑）彼らはいなくなってくれないよね、残念ながら。

**ヤニス**　彼らはいつも「いつかこうする、きっとこれをやる」と口約束するものの、実行するつもりはないですから。地球上に居残ったまま、全人類ひとりひとりの血をすべて吸い尽くし、そうしながらも彼らはこの銀河系に植民地を作る計画を立てている、と。

**イーノ**　（笑）。

**ヤニス**　なのでわたしは彼らに銀河系の他の惑星に移住して欲しくないんですよ、というのもわたしは『スター・トレック』のファン、トレッキー（註19）なので。ですから、ピカード艦長やカーク艦長にこそ人類の代表になって欲しい。イーロン・マスクみたいな有毒放射線を備えた連中ではなくて、あの『スター・トレック』流の旧きよき共産主義、ハイテクなコミューン主義でもってね。たとえばイーロン・マスクが、宇宙でこの地球を代表するもっとも優れた存在になる図を想像してみてください。それを考えるくらいなら、自分は死んだ方がマシですよ！

　わたしからのたぶん最後の質問です。今あなたのこもっている、ノーフォークの「穴」から抜け出せて、ロンドンのノッティング・ヒル（にあるイーノのスタジオ）に戻れたら、まず何をやる予定でしょうか？　あなたの次のアート、あるいは音楽プロジェクトはどんなものになりますか？

**イーノ**　まあ、次のわたしのプロジェクトに「なるはずだった」ことというのは、

発展途上世界からマネーが大規模に引き揚げられていました。これほどの資本が発展途上世界から逃げ出したのは１９７０年代以来初のことですし、残念ながら、わたしたちはそこで団結を訴えるようなリーダーのいる世界には生きていません。

——ヴァルファキス

もちろん、他の何もかもと同様にキャンセルになってしまったけれども（苦笑）。

**ヤニス**　いやいや！　とにかくCOVID-19云々はいったんすべて忘れてください。次に何をするつもりなんでしょう？

**イーノ**　中止になったとはいえ、それでも次にやる予定なのは――当初予定されていた開催期から延期になってしまったけれども、ロンドンのハイド・パークにあるサーペンタイン・ギャラリーで開催されるプロジェクトに取り組んでいてね。『Back To Earth』というタイトルなんだが、そこに参加している。このプロジェクトは本当に、我々人類と地球との関係の未来像をデザインするアイディアに興味を持っている人々を一堂に集めよう、という試みでね。だからある種の大きなエコという枠組みを持つプロジェクトだし、そこにはかなりの経済学も含まれていて。要するに、我々はこの「地球」という家庭の家計をどうやり繰りしていくかを理解する、という意味だけれども。間違いなく、君にもプロジェクトへの参加招待が近々届くはずだ（笑）。そこでやろうとしている試みというのは本当に――これは、わたしがプロジェクト内で果たす役目ということだけれども、それは、人類にとって非常に重要になっていった変化の多くが、美的感覚、あるいはスピリチュアルなフィーリングから始まるものだ、という点を明示することでね。その始まりはかなり曖昧なんだよ。事実や数字から変化が始まる、ということは滅多にない。そうは言っても、もちろんそれらはものすごく重要だけれども。ただ、何らかのムーヴメントの起点になり、ことを起こしていくのは、多くの場合、かなりぼんやりした「こ

れは間違っているんじゃない？」の感覚、逆に言えば「これは最高だ、むしろ我々はこういう風になりたい！」のフィーリングだ、と。で、わたしはそうした様々なフィーリングが実証された証拠と一堂に会する、そういう場所を作りたいんだ。だから、科学ももちろんそこに登場する。それをやったら、どうなるのかを見てみたいね。

**ヤニス** そのインスタレーションの一部には音楽も含まれますか？

**イーノ** ああ、もちろん。音楽も含まれるだろう。

**ヤニス** それはぜひ。

**イーノ** 大まかなことしか言えていないね、すまない。

**ヤニス** というか、野心的なプロジェクトだと思います。あなたひとりの個展ですか？　それともグループ展？

**イーノ** まあ、たくさんのアーティストが参加する予定だ。

**ヤニス** それはよくない！　船頭多くして船……と言いますから。

**イーノ** （笑）あるいは、アーティストが多過ぎると売春宿が潰れる、かもね（註20）。

**ヤニス** （笑）最後にもうひとつ。残り時間もわずかなので、この3分で今夜を締めていただけますか。DiEMは何千、何万人もの人から成り立っていて、たくさんの人々が観てくれていますし、彼らは皆、あなたを非凡でインスピレーション源を与えてくれる人間のひとりだと思っています。そんなあなたからメッセージをお願いしたいのですが。

註20　「Too many cooks spoil the broth（料理人が多過ぎて口を挟むとスープが台無しになる＝船頭多くして船山を登る）」の英語的表現を「Too many artists spoil the brothel」と言い換えたジョーク。

**イーノ**　今、我々が養い培っていかなくてはならない、もっとも重要なことは希望だと思う。この先の未来の場で、我々には本当に何かを作り出せる、きっと何か美しくて素晴らしいものを作れるんだという、ある種の希望を育てていくことだし、その妨げになるものは何か、我々はもうそれを知っているはずだとわたしは思っていてね。何がそれを邪魔だてしていくことになるのか、それは簡単にわかると思う。で、我々がはっきりさせたいのは、既に蒔かれている種子はどこにあるのか、そこだね。だから、今の時期、この数ヶ月間や、もしかしたらこの先何年か続くかもしれない（苦笑）、皆がロックダウンされているこの状況を利用して我々にできることというのは、「ここで始まっているのは何かな？」、「ここからどんな新たなことが始まっただろう？」と声に出していくことじゃないか、と。わたしにはちょっとした徴候があちこちに見えている。たとえば、人々がまたコミュニケーションをとり始めたとか、再び一緒に協働作業するようになった、という具合に。で、それらは青い芽だとわたしは思っているし、誰もにそれを保持してもらい、「ここだよ、ここから未来が始まる」と思って欲しい。だからわたしのメッセージは、「我々が希望を持たない限り希望は存在しない（There's only hope if we have hope）」、それに尽きる。本当に、我々は希望を持たなくちゃならない。他の誰かが作り出してくれるものではないんだよ。我々にかかっているんだ。

**ヤニス**　おっしゃる通り。それこそ、進歩的な政治ムーヴメントをやるポイントですから。我々DiEMは楽観的な集団ではないですし、むしろ非常に悲観的です。それでも常に希望を抱き続けていますし、それはこの今いる人々こそ我々にとっての人類であり、希望的でいるのは人類主義者としての義務なので。ブライアン、今夜は本当にありがとう。いつもながら、お話を聞けて本当に嬉しいです。この番組を観てくださっている方々も、喜んでいて、あなたに大いに感謝していると思います。こうして離れればなれになり、隔離された状態にあっても、我々は一致団結しなくてはなりません。今の時期、進歩的な連中にとってもっともよくないのは、この孤立が民営化の促進に繋がることですから。たとえ孤立していても、我々は民営化の動きに負けるわけにはいきません。

ありがとうございます。またこういう対談をやりましょう。できれば、次にはサーペンタイン・ギャラリーで実際にあなたにお会いしたいですし、わたしはその展示では間違いなく、他の参加アーティストの作品は無視して、あなたの素晴らしい作品だけに集中するつもりです。友よ、ありがとう。同志よ、ありがとう。

**イーノ**――話ができて楽しかったよ。

**ヤニス**――DiEMから皆さんへ、心から。DiEMTVをこれからもよろしく。ありがとう。

**イーノ**――バイバイ!

（訳：坂本麻里子）

# 宮台真司

インタヴュー

Shinji Miyadai (8 May 2020)

## 絶望こそが希望である

### パンデミックが照らし出す未来への道筋

新型コロナウィルスの猛威によって、様々な問題が露わになっている。国家や政治制度の矛盾、社会のあり方、人々の意識の違い……けれども、それらは既に以前から問題とされてきたことだ。その全てが同時に、一挙に噴出してきた——コロナ禍をそう捉えるならば、これは絶好の契機でもある。社会が変わるための。私たち自身が変わるための。

宮台真司
（みやだい・しんじ）
首都大学東京教授。社会学、映画批評。著書に『権力の予期理論』（勁草書房）、『制服少女たちの選択』（講談社／朝日文庫）、『終わりなき日常を生きろ』（ちくま文庫）、『日本の難点』（幻冬舎新書）、『私たちはどこから来て、どこへ行くのか』（幻冬舎文庫）など多数。共著に『サブカルチャー神話解体』（ちくま文庫）など多数。近著に永田夏来・かがりはるきとの共著『音楽が聴けなくなる日』（集英社新書）がある。

## 旧東的価値観と旧西的価値観のせめぎあい

――コロナウィルスによって引き起こされている現在の日本や世界の状況について、宮台さんはどのように解釈されていますか？

**宮台**　まず、各社会の危機管理の性能が試されています。次に、それを支える社会のあり方の良し悪しが試されています。加えて、コロナ禍への対処の仕方次第で、国際関係上のヘゲモニーが大きく変わります。例えば、どんどん上がっていく中国のような国と、どんどん落ちていく日本のような国。その差が際立ちます。日本は必ず落ちていきます。

――他に上がっていきそうな国は？

**宮台**　まず、中国や韓国や台湾のように、ＩＴをうまく使えた国。次に、ドイツやスウェーデンのように、政策的判断が妥当で政府への信頼が上がった国。そこには、イギリスやアメリカのように、初動は遅れたけれど、問題の収束に向けて短期で全面的に舵を切り替えた国も含まれます。

――5月頭の現時点では、アメリカの被害が最も甚大になっていますね。

**宮台**　間違いやすいのですが、死者数の大小と、対処の巧拙による政府への信頼の増減は比例しません。スウェーデンは、政府の情報開示を国民が信頼し、市民が互いに賢明な行動を採ると信頼し合うやり方。出社を控えても、店を閉めても、子供を自宅に留め置いても、損失や費用は政府が８割負担。どのみち集団免疫が必要との政府の説明を国民が信頼し、それで死者数が他国より多くても医療崩壊しない限り問題にしないのです。

そこには合理主義があります。19世紀末に社会学者デュルケームが提唱しました。自殺者数や犯罪者数は、無秩序の指標になりません。僕らの体には常に細菌やウィルスが侵入し、時には症状が出ますが、恒常性を保ちます。同じく、社会も与えられた条件下で一定数の病死者や事故死者を伴いますが、人々がそれを通常的だと信じる限り問題ないのです。

アメリカは、州と訳すので見えにくいけど、ステート＝国の集まりです。ステート毎に行政方針が全面的に異なって当たり前です。だから、アメリカ全体で見るより、まともなステートとまともではない駄目なステートの差が歴然となると見るべきなのです。その結果、まともな州のヘゲモニーが上昇し、全体としてアメリカのヘゲモニーが上がることがあり得ます。結果的に、僕らはまともな州の存在でアメリカを評価するようになります。

——州単位でみると、上がっていくのはたとえばニューヨークでしょうか?

**宮台** ニューヨーク州に典型を見るべきです。一番状況が酷かったにもかかわらず、最も早くピークを迎え、クオモ州知事による総動員体制の下、早くも収束に向かっている。素晴らしいことです。状況が酷かったからこそ、対処法のうまさが際立ち、評判をあげました。既に日常を取り戻した中国も、同じです。

——先ほど名前が出ましたが、集団免疫策をとったスウェーデンはどうでしょう。

**宮台** マスコミの情報バイアスで、集団免疫策ばかり注目されますが、間違いです。スウェーデンが評価されるのは「政府への信頼」と「市民相互の信頼」が揺るがない政策を採るからです。背景には「市民の全ての選択について、損失を分け隔て無く保障する普遍主義」と「目先でなく長期の得失を評価するように、徹底的に訓練する教育」があります。

――宮台さんがうまくやっていると思われる国はありますか？

**宮台**　さっき挙げた国はうまくやっています。日本がうまくいかない理由を考えた方がいい。うまくいっている国は2種に分かれます。第一は政治権力が強大である国。第二は政府への信頼と国民相互の信頼がある国。第一の政治権力が強大なケースは中国です。ヴァーティカルな「垂直の」生体監視システムを用い、各個体を追尾してフラグを立て、その色で個体を隔離、個体の移動経路に存在した全個体の端末にアラートを送って従わせます。

　これは民主主義国では採用できません。プライバシーに踏み込みすぎるからです。例外は韓国やイスラエルです。民主主義の形はとっているものの、戦時状態・準戦時状態が継続しているので直前の非常時を記憶します。だから統治権力が「非常事態ゆえに我に大権を与えよ」という訴えができるのです。ただしこれは例外的です。

　第二の信頼ベースのケースはヨーロッパ。グーグルとアップルのアプリ開発が象徴します。統治権力によるヴァーティカルな生体監視でなく、市民間のホリゾンタルな「水平の」情報共有システムを用います。人にフラグを立てるのではなく、匿名の行動履歴を収集して場所や交通経路にフラグを立て、各人に賢明な行動を期待します。統治権力への情報集約を介さずに、個人の安全を確保します。直近では韓国がこちらにシフトしました。

　これがヴァーティカルかホリゾンタルかという対立です。前者は、政府への信頼や国民相互の信頼の有無に関係なく作動できます。だから文脈に依存しない有効性があります。後者の場合、場所にフラグが立ったとき、人々がそこへ行かないでいられるか、人々が行かないと互い

江戸時代の善政がもたらした「オカミは間違わない」という信頼による思考停止。同時代の欧米は、統治権力への不信ゆえに市民革命を敢行した。「オカミは間違える」ので「自分で考える」伝統です。

に信頼できるかが問題になります。政府が情報をこっそり利用しないと信頼できることも、条件になります。

　これはテックの二つの方向性です。信頼が強固で、政府による保障が強力なら、スウェーデンのようにテックを頼らない戦略さえ採れます。人々が互いに賢明であることを信頼し合うので、ディスクロージャー（情報公開）をベースに、各人が最も適切だと考える行動をとって下さいと、アナウンスするだけで良いのです。

　さて、日本には「政府への信頼」も「市民相互の信頼」もない。「政府への信頼」がないので、憲法に緊急事態条項を書き込めない。書き込んで強制しても「政府への信頼」がなければ政権が倒れます。他方、コロナいじめに見られるように「市民相互の信頼」もない。スウェーデンと対照的に、死者が増えるだけで疑心暗鬼が拡がります。この種の疑心暗鬼に対処できないので、「政府への信頼」がさらに失われます。悪循環です。

　今後第二波・第三波が来ます。日本が出口を出るのは遅くなります。それで国際的評判も落ちます。終息が遅ければ新東京五輪も微妙になり、経済活動の再開も遅れます。そのぶん国力が低下します。欧州標準の８割保障もないので失業者や自殺者が続出します。実際、国際比較では日本人の将来不安が最も高い。それも疑心暗鬼に拍車を掛けます。かくて全ての国力が低下します。コロナ前からＧＤＰを７％以上落としているのもあります。

——ぎりぎりまでオリンピックを開催しようとねばっていたことが関係していますか。

**宮台**　確実な答えは分からないけど、関係すると多くの国民が思っています。海外からも日本は優先順位が分かっていないダメな国だと思われています。オリンピックを重視してコロナ対策の初動が遅れれば、それで収拾が遅れる分、オリンピック開催が遠のきます。初動段階で「情報を隠蔽したり検査数を抑制したりすれば、オリンピックを開催できる」と予想していたとすれば、首相と取り巻きのオツムが悪すぎます。

——にもかかわらず、日本の死者数は欧米の先進国に比べると少ないのは、なぜですか？

**宮台** 巷でいう「感染者数」は所詮は「感染判明者数」。全数検査は無理でも、検査数がさほどいらない無作為抽出による疫学調査さえしない。だから実態が分からない。そういう場合、疫学者が頼るのは超過死者数です。例年同時期の病死者数と比べて有意に増加していればコロナ死だと推定します。ただ、インフルエンザ死の影響を取り除く必要がある。すると「感染判明者数」の百倍以上のオーダーで「感染者」がいると推定できます。

それでも各国の数分の一以下です。これは「神風」かもしれません。第一に、インバウンドを当てにして中国人の渡日禁止が遅れ、第二に、初期段階にしか役立たないクラスター対策を長く続け、第三に、外出自粛要請も遅れたのに、奇蹟です。これを「政府による対処が優れていたから」と考える人はさすがにいません。

——たまたまである、と。

**宮台** 政府による対処以外の要因だという意味では「イエス」です。クラスター対策は、日本に限らずどこのどの国でもやっていますから。生活習慣の御蔭かもしれない。BCG（結核ワクチン）の御蔭かもしれない。他の4種のコロナ風邪の免疫が他国民よりも強い御蔭かもしれない。よく分かりません。今後リサーチすべき問題です。

——ホリゾンタルとヴァーティカルでは、どちらの方がより望ましいとお考えですか？

動的に変化する環境に対して、動的に認識を変更しつつ、行動を絶えず変えていく。そのためには、安心してはダメなのです。不安を抱えながらベターを模索するトライアルが必要です。

**宮台**　既に申し上げた通り、テック利用法をめぐって旧東側的な価値観と旧西側的な価値観がせめぎあいます。マルクス・ガブリエル（註1）やユヴァル・ノア・ハラリ（註2）も指摘する通り、中国のような旧東側的なヴァーティカルなテック利用法に、旧西側のホリゾンタルなそれが勝利するのは絶望的に難しい。理由は、一部を除くアメリカや日本に典型的に見られるように、民主政の劣化が著しいからです。

民主政とは、知識社会化のシステムです。知恵を集められる社会ということ。思い込みを脱するべく、他者の生き方や価値観に目を向け耳を傾ける社会です。そうしたコミュニケーションのプラットフォーム自体が共有財（共通の利益を与えるリソース）です。けれど、コロナ禍以前からそうしたプラットフォームは一部で崩れつつあります。でも、制度の故障ではありません。感情の劣化が理由です。

民主政には、知識社会化の前提になる、互いを信頼して他者の生き方や価値観に開かれる営みが要ります。他者の痛みが分かり、気に掛ける能力です。それがなくなってきました。僕は「感情の劣化」と呼びます。要は、民主政を支える感情の豊かさが消えたのです。理由は、市場と行政というシステムに依存して共同体が空洞化したからです。

## 「安心」しないことが「安全」の最低条件

――新型コロナウィルスによって大きく状況が変わったというよりは、以前からあった問題がより顕在化したということでしょうか？

註1　ドイツの哲学者。「新しい実在論」の主張で知られる。『なぜ世界は存在しないのか』（講談社選書メチエ）がベストセラーとなった。

註2　イスラエルの歴史学者。『サピエンス全史』『ホモ・デウス』（河出書房新社）がともに大ベストセラーとなったことは記憶に新しい。

**宮台** そう。コロナが引き起こしているのは「早回し」。どのみち起こることが起こっています。自粛要請が引き起こした「自粛警察」が典型です。ところが国の本質に関わる矛盾もある。ニューヨーク州クオモ知事が「失敗したら責任をとる」と言いながら、大権力を発動して独自に強力なロックダウンをしました。各自治体が国や他の自治体に干渉されずに自らの道を歩めるのが、13のステート（国）から始まった建国の伝統です。

ところが、もう一つの伝統もある。セルフヘルプ（自助）の思想。各人の自己決定を妨げる政治的介入を許さないのです。そこには連邦政府と州政府の区別はありません。だから、クオモ州知事の決定が個人の自己決定に介入していると批判される。「アメリカの伝統を壊すニューヨーク州政府に連邦政府が強制介入しろ」との主張も出てくる。元々アメリカの伝統に内在していた齟齬が、非常事態によって明らかになったのです。

一方の州自治はアメリカの伝統です。だからニューヨーク州独自のロックダウン＝外出禁止は伝統に沿います。他方の自助もアメリカの伝統です。だから個人の自由を制限する外出禁止は伝統に反します。この矛盾が非常時において露わになりました。これもいずれ露わになる問題が露わになったと言えます。

——日本の場合はどうでしょう？

**宮台** アメリカにあるのは、アレとコレが両立しないという共時的矛盾。日本にあるのは、かつて通用した作法が今は通用せず、今に通用する作法は皆無という通時的矛盾。他県ナンバーの車を特定してツイッターで曝し上げる。医療対策に従事している親の子の登園を拒否する。自粛「要請」であるにもかかわらず補償が万全ではないがゆえに営業せざるをえない店の壁に落書きをする。こうした劣化ぶりがその現れです。

　自県の町まで10キロあるが、他県の町までなら1キロという村が幾らでもあります。コロナに罹かれば、自分も医療従事者の世話になります。憲法25条が規定する生存権があるから、自粛「要請」下でも営業する権利があります。どれも批判される言われはありません。なのに批判するのが「言葉の自動機械・法の奴隷・損得マシン」つまり「クズ」です。クズが「安心厨＝ゼロリスク・マニア」としてウヨウヨ湧いているわけです。

　安心厨は、ヒラメ厨とキョロメ厨の合体です。ヒラメ厨とは、オカミに思考停止で依存し、オカミに逆らう者に「不安を煽るのか」と噴き上がる、さもしいクズ。ただしヒラメとは、オカミにお伺いを立てる上目遣いを表す昭和語。背景は、江戸時代の善政がもたらした「オカミは間違わない」という信頼による思考停止。同時代の欧米は、統治権力への不信ゆえに市民革命を敢行した。「オカミは間違える」ので「自分で考える」伝統です。

　キョロメ厨は、回りをキョロ見しながら思考停止で同調圧力に屈する。同調圧力に服さない人間を見ると、「自分が否定された」と不快になり、自由に振る舞える人を見ると嫉妬する、浅ましいクズです。ヒラメ厨とキョロメ厨は重なります。江戸の五人組、昭和の町内会や隣組など、近隣関係にオカミの意向を代行させ、オカミに服さない者をチクらせる制度が背景にあります。それで、安全よりも安心に傾く「安心厨」が増殖したのです。

　「安心厨」は思考停止のゼロリスク・マニアです。不確実な状況では「安心」は命取りです。自分にとって大切な事柄を見定めて優先順位を付け、自分が置かれた状況を観察して各々の事柄に問題が起こる確率を主観的に見積もり、ベストが不明な中でベターを目指し、ダイナミックに選択を変える戦略。これが「安全」に不可欠です。ベイジアン的（ベイズ統計的）戦略（註３）とも言います。「安心」しないことが「安全」の最低条件なのです。

短く言えば、動的に変化する環境に対して、動的に認識を変更しつつ、行動を絶えず変えていく。そのためには、安心してはダメなのです。不安を抱えながらベターを模索するトライアルが必要です。ところが「安心厨」は主観的な「安心」にへばりつくゼロリスク・マニアです。様々なことが起こり得ると想定することさえ嫌う。見たくないものを見ない。見たいものだけを見る。自分だけが安心したいからです。損得マシンのクズです。

オリンピック延期を恐れて実態把握を怠った安倍や官邸の劣化が典型です。それでオリンピックをやる資格がない国との悪評判が立った。あらゆる事態を想定、最悪の事態が起こりうると仮定し、ソレを回避するにはどうすればいいか考えるリスク・マネジメント戦略ができません。江戸時代は「それでもやれる」平穏な環境があったけど、昭和の敗戦でそういう環境が既にないと突きつけられた……はずが「アメリカにおんぶと抱っこ」で反省機会を失い、そこから先、対米依存の経済成長でまた「それでやれる」環境になった。

でも、90年代の冷戦終焉とグローバル化開始で再び「それじゃやれない」環境になった。けれどヒラメとキョロメのやり方を変えられなかったので、先進国でただ一国日本だけが25年間経済成長できず、１９９７年から可処分所得が下がり続ける現実に直面している。それでも、現実を見ないまま２０１１年の原発爆発を迎えた。そこで問題が突きつけられた……はずが、幾らでも盛れる株価と失業率にだけ注目する安倍政権になったのです。

ロックダウンはバランス戦略です。日本では失業率と自殺率が強く相関します。自殺の多く

註３　統計学における考え方の一つ。AがBである確率を、事前に何のデータや情報がない状態でも主観的に仮定しておき、新たに情報を取得し次第、都度更新していくやり方。

は経済死です。感染死もヤバいが経済死もヤバい。感染死者数と経済死者数の合計が最小になる政策が必要です。ただし、経済死者数が増えるまでタイムラグがある。それを考慮したロックダウンの段階的解除が必要です。いずれにせよ、感染死者数が減るのに合わせて解除するものではありません。頭の悪い「安心厨」には厳しい状況が訪れます。

## これからは非常事態が常態になる

――海外のニュースを追っていると、政府がどうこうとは関係なく、人々自身が医療従事者を応援したり、後方支援したりする動きが見えます。対して日本では、他人や隣人を助けることよりも、自分の経済的な不安を主張する人々や、「なんとかしてくれ」と政府に頼る要望ばかりが目立ちます。やはり社会が根づいていないからなのでしょうか？

**宮台**　社会の概念がないからです。社会とは仲間（共同体）を越えた範囲です。30年前に「仲間以外はただの風景」という言葉を使いました。あるのは社会ではなく風景だけ。仲間以外の不特定者を信頼する作法がない。だから、市民相互の信頼醸成を望む規範がなく、市民相互の信頼を前提にした政策が採れません。しかも、昨今は共同体も空洞化した。だから、不安が右往左往に直結します。「安心厨」というクズが象徴的です。

日本以外の国で見られる医療従事者を応援したり後方支援したりする動きは、単なる善意ではない。規範です。社会が社会であり続けるのに必要な相互信頼を、高めるための当然の税金だと理解されるのです。こうした規範をシヴィックヴァーチュー（公民的規範）と言います。不特定者が共通に利益を得る共有財への、貢献です。この公民的規範が日本にはないわけです。理由は、既に紹介したオカミ頼みの歴史です。「悪政の統治権力に抗って自分たちで協力して市民社会を作った」という述べ伝えがない。なので「自分たちでメンテナンスしないと社会が崩れる」という発想がない。だから「社会に貢献する＝税金を払う」という発想もない。「税金を払って社会を操縦する」という発想もない。公民的規範がある国では「税金を払うのは幸せになるため」。日本人では「税金を払うのは罰がイヤだから」。

公民的規範がないので、「みんなに貢献する」という公民的規範を持つ政治家もいない。かつてはいました。共同体があったからです。共同体の同心円的な拡張で「日本人は仲間」と思えたのです。いずれにせよ公民的規範がない国民は、「自分さえ良ければ」という思考停止的な「安心厨」に堕ちます。政治家も同じです。だから「見たい所だけを見る」安倍と安倍ケツナメ勢力のような醜悪さが露呈しているわけです。

今では神経症の「安心厨」だけが安倍を支持します。さすがにそれじゃ安全じゃないという「事実」にコロナ禍で気づいた人たちが、安倍から離反しつつあります。良いことです。やっと気づいた人々は、国を信頼できないから、国に従えなくなり、まして国に強権を与えられなくなりました。そんな状況なのに「コロナ禍が鎮められないのは強権がないからだ」と火事場泥棒さながら憲法改正を主張する与党政治家が、ウヨウヨ湧いています。

中国と違って日本人が政府に強権を与えられない理由は、簡単です。先の敗戦以来「非常事態における賢明な統治」があり得ないと弁えるからです。「引き受けて考える」ことをせず、「任せてブーたれる」だけの国民にも、世代交代で忘れかけていたのが、さすがにコロナ禍で思

日本以外の国で見られる医療従事者を応援したり後方支援したりする動きは、単なる善意ではない。規範です。社会が社会であり続けるのに必要な相互信頼を、高めるための当然の税金だと理解されるのです。

い出しました。ただし、思い出して政治不信に陥るのに留まらず、市民相互の信頼によって統治権力を操縦し、統治の信頼を構築する必要があります。

信頼せよという命令では信頼は生じない。信頼は醸成されるものです。パフォーマンスが凄かった。だから少し信頼した。そしたらもっと凄かった。だからより信頼した。市民に対する信頼も政府に対する信頼も、そうやって醸成される他ありません。そうやって時間をかけて信頼が醸成されれば、自粛警察のクズが一掃され、非常時に信頼できないクズが政治家になることもない。スウェーデンのように情報だけで人々が賢明に振る舞えます。

――では、そのように絶望的な日本の状況で、我々はどのように希望を描けばいいのでしょう？

**宮台**　単純です。加速主義（註4）の発想をすべきです。自分たちのやり方ではダメだと突きつけられる必要があります。コロナ禍で気づいた人が増えたとはいえ、3割が安倍を支持しています。民主政では、クズが多ければ政治が出鱈目になります。実際そうなっています。ならば、クズが自滅する状況の出来《しゅったい》が必要です。コロナ禍がそうした状況を作り出しつつあります。それが進めば、クズが政治を左右する状況も変わるでしょう。

――ひねくれた質問かもしれませんが、悪い状況への落ち方がまだ足りないのでより落とすために、たとえばアメリカでコロナパーティをやっていた人たちがいましたが、そういう意図的な感染拡大によって医療体制を圧迫し国全体を落とす、というやり方は選択肢になりえますか？

**宮台**　ファーストアンサーは「ノー」。それはイデオロギー的な振る舞いです。イデオロギー的な振る舞いは、多かれ少なかれ思い込みです。思い込みは、それが達成されることによる自己満足しか追求していない。だから公共的ではないのです。公共性とは、辞書的には「仲間以

註4　資本主義をどんどん加速させることによって資本主義それ自体を崩壊させる、という着想。イギリス出身の哲学者ニック・ランドによって提唱された。

外にも通用する」という意味です。公共的な振る舞いには、できるだけ多くの人を納得させられる尤もらしさが不可欠なのです。

ただしイデオロギー的なクズが量産される状況は、「安心厨」のクズが量産される状況と同じく、「この国はこれじゃもたない」という気づきを与える機能を持ちます。その意味では、セカンドアンサーは条件付き「イエス」です。条件とは何か。気づいた後に、絶望に打ちひしがれる代わりに、仲間と助け合って「絶望から出発しよう」（宮台の著書名）と前向きになれることです。単に「ダメが加速すればいい」という話ではありません。

――現在実際に痛みを感じている人たちはどうすればいいでしょう？

**宮台** まず、クズなオカミをスルーして仲間で助け合うこと。「仲間のために、仲間の助けを借りて、不確実な状況下でより賢明な選択をすること」。そうした仲間集団が増えれば、人と人とが仲間として助け合えるように、仲間集団と仲間集団が助け合えるようになります。そうやって、最終的には知らない人同士が助け合い、知らない人に向けて税金を払う「公民的規範をベースにした普遍主義」が確立します。それ以外の道はありません。

オカミに依存する自治体が多い中、オカミが不甲斐ないので、自分たちで実態を摑み、自分たちで出口戦略を決め、ロックダウン解除基準を設定する自治体が出てきました。これは希望です。和歌山県知事が、クラスター対策に意味がある段階は終わったはずだと、独自基準でPCR検査をやり続けました。大阪府知事も、独自の数値基準を掲げて出口戦略を示しました。それが典型です。その意味で、コロナ禍は自治の出発点にもなります。

ある意味でアメリカ的になっていきます。これもいい動きです。国が堕ちるからといって「絶望こそが希望」です。国の絶望が自治体の希望です。自治体の絶望が仲間集団の希望です。仲間集団の絶望が個人の希望です。だから一概に「日本は絶望的だ」とか「希望的だ」と言っても意味がありません。

「安倍と共に去りぬ」はイヤでしょう。「国がダメなら、自治体が自立しないと生き延びられない。自立できない自治体は堕ちていく」。「自治体がダメなら、仲間集団が自立しないと生き延びられない。自立できない仲間集団は堕ちていく」。「仲間集団がダメなら、個人が自立しないと生き延びられない。自立できない個人は堕ちていく」。必然です。

それに抗って、自立した自治体、自立した仲間集団、自立した個人ができるのは、良いことです。ダメの最終段階で、個人が自立するしかなくても、その個人が自立した仲間集団を作り、自立した仲間集団が自立した自治体を作り……という経路を辿ればいい。実際、それ以外の経路は論理的にありません。自立した個人であれ、一人の知恵には限りがあります。一つの仲間集団の知恵にも限りがあります。だからこうした経路が必要なのです。

その意味でも「絶望こそが希望」です。国の絶望が自治体の希望です。自治体の絶望が仲間集団の希望です。仲間集団の絶望が個人の希望です。だから一概に「日本は絶望的だ」とか「希望的だ」と言っても意味がありません。絶望が生み出した個人の希望が、仲間集団の希望を生み、仲間集団の希望が、自治体の希望を生み、自治体の希望が、国の希望を生む、という連鎖を上昇していくことだけが、大切です。

森林伐採と北極圏の氷の融解で、今後パンデミックは高頻度で来ます。近く、南海トラフ大地震も確実にやって来ます。地球温暖化で、豪雨災害も確実に激烈化します。これからは、非常事態が常態になります。個人も仲間集団も自治体も国も想定していなかったことです。従って「統治権力に任せてＯＫ」も「自治体に任せてＯＫ」も「仲間集団に任せてＯＫ」もあり得なくなります。真に自立した単位の連帯だけが大切になっていくのです。

これも「絶望こそが希望」です。「任せられない」という絶望が生み出す希望。僕は十年以上もそれを訴えてきました。でも平時に安心しきったヘタレが多く、耳を貸してくれなかった。今回のコロナ禍で、長年スルーされてきた主張が人々の耳に届きやすくなりました。個人的には嬉しい面もありつつ、現実的な家族や仲間の危険が高まっているので「泣き笑い」。むろん「安心厨」や「炎上厨」が野垂れ死のうが知ったことではありませんが。

（取材：編集部、5月8日）

# 上野千鶴子

インタヴュー

## 政治は女の方が向いている

### コロナ禍が可視化した女性差別の実態

Chizuko Ueno (19 May 2020)

「ステイホーム」だの「おうち時間」だの、まるで世界がフリーズしたかのようだった100日間。家に長時間いる同居人のケア、不安定雇用により脅かされた生活など、直接ジェンダーに関わる問題も多数浮き彫りになった。他方、アジアでもヨーロッパでも、あざやかな政策を打ち出した女性リーダーに注目が集まった。なぜ彼女たちは国民に信頼されたのか？　コロナウイルスが鍵を開けた混沌の世界と、フェミニズムの未来を解き明かす。

上野千鶴子
（うえの・ちづこ）
社会学者。東京大学名誉教授。認定NPO法人ウィメンズアクションネットワーク（WAN）理事長。『家父長制と資本制』『近代家族の成立と終焉』（岩波現代文庫）、『ケアの社会学』（太田出版）など、著書多数。最近著に『おひとりさまの最期』（朝日新聞出版）がある。

## 決断力と共感力は矛盾しない

――この数ヶ月のコロナ危機とも言える期間、様々な問題がありましたが、上野さんが注目していたのはどのようなことでしたか？

**上野**　現在指摘されている問題は、どれも平時の問題が非常時に拡大・増幅するということばかりなので、そんなにびっくりするようなことは感じていません。

たとえばＰＣＲ検査が日本ではなぜこんなに少ないのかと言うと、もともと備えがなかったからです。以前のＳＡＲＳやＭＥＲＳの時に学習しなかったことがわかりました。思いつきのアベノマスクには呆れましたが、それにしても配布の遅さには、日本の行政機構はもうちょっとマシかと思っていたので、ここまで非効率とはびっくりしました（笑）。政治家はダメでも行政機構はマシ、という行政機関への信頼が著しく低下しました。地域差があるのだから地方自治体に裁量権を委ねればよかったのに、官邸主導しちゃったからです。地方自治体の首長も政府に決めてくれという指示待ちが多くて、がっかりしました。

――世界各国のリーダーの言動もよく見えましたが、なかでも女性リーダーの実力が目立ちました。

**上野**　内外を含めて、リーダーシップの違いがこんなに際立つのかと、これにも感嘆しましたね。愚かなリーダーを持つとこんなに情けない思いをするのかということがよくわかって（笑）。リーダーシップが各国の状況を変えましたが、その中でも女性のリーダーが突出している。台湾、ニュージーランド、ドイツ、アイスランド、フィンランド、それから韓国の外務大臣など、どこも国民からの信頼が厚い。それについて思うことが三つあります。

一つは、そもそも女性リーダーがこれほど増えていなければ、比較さえできなかったということです。リーダーシップを発揮できるポジションに女がいないと、そもそも女性リーダーのパフォーマンスを見ることすらできません。

二つ目は、これまでリーダーには断固たる決断力や有無を言わさぬ男性的なリーダーシップが必要だと考えられてきて、女性リーダーは女らしさを抑圧するように、男以上にアグレッシブになる傾向がありました。典型的なのがサッチャー首相です。でもその時代は終わった。今女性リーダーの特徴として挙げられているのは、共感力とコミュニケーション力です。その共感力の中に弱者への視線があること。隔離政策をとるとDVが増えると最初に警鐘を鳴らしたのはドイツでした。弱者にいち早く想像力が及ぶ。共感力は、以前は決断力とは相反するものと思われていましたが、共感力を伴うリーダーシップと、断固たる決断力がちっとも矛盾しないで共存するということがはっきり「見える化」しました。

そして三つ目は、そのリーダーシップには科学的な根拠があることです。ドイツのメルケル首相はもともと科学者ですが、そのリーダーシップが3・11の時に発揮されました。ドイツは彼女のリーダーシップの下で脱原発を決めました。対して日本はあれほど大きな犠牲を払ったのに、何も学ばなかった。客観性や科学性は男性に属するもので、女性は感情的と言われてきましたが、女性の共感力と科学性が決して矛盾しないで共存することが見えるようになった。それはニュージーランドの迅速な封鎖にも表れていました。これまで言われてきた「女性的リーダーシップ」なるものが、どれほど偏見とステレオタイプに満ちたものだったかが明らかになった。

ちなみに、科学性も共感性も、どちらもないのが安倍さんです。オリンピック延期を決めた時に、ワクチンが1年以内にできると断言しましたが、一体何を根拠に言っているんだか。これは、オリンピック招致の時に福島の状況が「アンダーコントロール」だと言ったのとまったく同じ。何の根拠も示せない。男が論理的でも科学的でもないことは、安倍とトランプを見ればよく分かります。

誰かがうまく指摘していました。「女性リーダーを生み出す国は、民主主義が成熟している国だ」と。つまり、リーダーの性別にこだわらなくなった社会が女性リーダーを生み出したということです。人々が、リーダーシップに男女のステレオタイプを当てはめようとは思わなくなった社会で、女性リーダーが生まれたわけです。

## 政策から排除される女と子ども

――小池百合子東京都知事についてはどう思いますか？

**上野** 小池さんは権力政治に長けた女性です。そういう意味では「鉄の女」サッチャーとの共通点が多い政治家だと思います。政府に先んじていち早く休業補償を打ち出し決断力を見せましたが、彼女に共感力があったとは思いません。東京都は日本で最も豊かな自治体です、留保金を今使わなければいつ使うのでしょう。しかももともと政府に楯突くのが、石原慎太郎元都知事以来のやり方。石原さんが都知事でもおそらく同じことをやったでしょう。

女性リーダーの特徴として挙げられているのは、共感力とコミュニケーション力です。その共感力の中に弱者への視線があること。隔離政策をとるとDVが増えると最初に警鐘を鳴らしたのはドイツでした。弱者にいち早く想像力が及ぶ。

小池さんは女子どもにあまり言及していません。もともと今回の政府による様々な政策には、女と子どもが視野に入っていなかった。それに対する抗議と告発の声が起きて、政策を一部変更せざるを得なくなったことが四つあります。

まず、学校の休校に伴う休業補償から、風俗業の女性が排除されたこと。これに抗議の声が上がり、政府は風俗業も包接する方向に変更しました。小池さんは、ナイトクラブの閉鎖をいち早く求めましたが、そこで働く女性たちについて配慮した記憶はありません。その後、打ち出された持続化給付金から、再び風俗業が排除されました。これも二日後には条件付きながら支給されることに変更されましたが、このように日本政府はくりかえし、風俗業を職業と認めないというメッセージを出し続けています。それに対して声をあげて、排除をやめさせたことは、女性のアクティビズムの大きな成果です。

二つ目の問題は、学校の休校要請により子どもが休んだら、誰が世話をするのかということ。「母親」がキーワードになりましたが、登校しない子どもの世話を誰がするのかという問題に対応する政策は出てこなかった。これについては、私たちが運営するＷＡＮサイトに、家族社会学者の落合恵美子さんが素晴らしいエッセイを投稿されていますので、ご覧になってください（註1）。共働きのカップルが二人とも在宅勤務をしている時に、夫の仕事が優先されて、妻のテレワークは寸断されるというようなジェンダー非対称は、テレワークの中でも起きている。けっきょく家庭内ケアというと、「母親」というキーワード以外は出てこない。「見えないケア」が「見える化」したのです。

三つ目はシングルマザーの問題です。もう本当に、子どもに食べさせるものがないというよ

註1　落合恵美子「「家にいる」のはタダじゃない―家族や身近な人々が担う「ケア」の可視化と支援」、ウィメンズアクションネットワーク（Ｗｏｍｅｎ'ｓＡｃｔｉｏｎ Network）、２０２０年４月13日。https://wan.or.jp/article/show/8880

うな極限状態に陥ったことが「見える化」しました。これも、急にひどくなったわけじゃない。以前からシングルマザーの貧困は、まず離婚時に始まり、そして別れた夫の養育費未払い、さらに公的支援がもともと弱いということで、厳しい状態でした。その上、この女性たちの多くが非正規やパートといった不安定就労で、職種も緊急事態に直撃されたサービス業でした。「子どもがかわいそう」「子どもが食べられない」と「子どもの貧困」が言われましたが、それは親が貧困だからです。シングルマザーは自業自得、自己責任と言われてきた。しかし、シングルマザーになる背景には、離婚せざるを得ない要因がある。相変わらず多いのがDVですね。

今回、政策的にはっきり変化を起こさせた成果があります。それは世帯主給付の問題です。これへの批判が全国で起きました。今でも政府は世帯主給付の原則を崩していませんが、私たちのWANサイトでは、住民票を移さずにDV別居や子連れ避難をしている女性に対して、給付金を受け取るための手段を紹介しています。批判が起きた結果、政府は対応せざるを得なくなり、住民票で世帯分離をしていなくても申請できる抜け道を作りました。「しんぐるまざあず・ふぉーらむ」という団体が動いて実現させました。

政府は原則は変えずに、姑息に運用を変えることで制度の抜け道を作りました。ただし、日本の社会保障制度は自己申告制なので、知らなければアウトです。世帯主給付問題は、3・11の時にすでに問題になっていました。東電からの補償金が全額世帯主に行くというので大問題になった。4人家族で40万円もらったお父ちゃんが何をするかといえば、お酒につぎ込んだりパチンコやったり、家族のために使うより自分のために使う傾向が高いことがデータから分かっています。3・11以前から阪神淡路大震災など、災害をいくつも経験してきたことで、私たちは災害対策について学習してきました。その経験値が積み上がってきているのに、３・11で学習したことが今度の政策には生きなかった。それがこの世帯主給付問題です。

これも、平時の矛盾が非常時に出てきたものです。日本の社会保障はすべて世帯単位で設計されています。これに対して個人単位制をポータブルな社会保障と言います。ポータブルとは「持って歩ける」ということですね。女の人は結婚したり離婚するたびに世帯に入ったり出たりします。その度に社会保障上の地位が変わる。これも日本は自己申告ですから、社会保障上の地位が変わるたびに届出をしないと、年金の空白期間ができるなど、不利益をたくさん受けてきた。だから、いくら離婚・再婚しても社会保障上の地位が変わらないようにするべきだということで、個人単位制をずっと主張してきた公共政策学者もいます。ですが、選択的夫婦別姓制さえ通らないこの日本では、まだ壁は厚いですね。

四つ目に、非正規雇用問題があります。非正規労働者の70％が女性、女性労働者の58％が非正規です。不況になればまっさきに首を切られるのが非正規の女性。２０２０年3月の雇用統計では前年同月比で非正規の女性が29万人減少、男性が2万人増加と報告されています。安倍さんは自分の政権下で雇用を拡大したと自慢していますが、増えたのはもっぱら非正規ばかり、正規雇用は横ばいです。男性の非正規増は、正規から非正規への転換と解釈すべきでしょう。シングルマザーの多くは非正規、苦境がダブルパンチ、トリプルパンチで来ています。

——ポータブル制は、外国ではどうなんでしょう?

**上野**　アメリカとヨーロッパのほとんどはそうなっています。ポータブル制とマイナンバーは連動していますから、私はマイナンバーに賛成です。個人単位制にしようと思ったら、あらゆる国民がナンバーを持って、どこにいようと関係なく社会保障を受けられるようにすればよい。行政の効率のためにもマイナンバーってとてもいいんだけど、多くの人たちがこれに抵抗している理由がわからないですね。給付金申請にマイナンバーを使って混乱も起きていますが、これからはその方向に行かざるをえないでしょう。もちろん過度の監視社会には警戒しなければなりませんが。日本の社会保障のもうひとつの問題点は住所地主義です。ありとあらゆる社会保障は現住所がないと申請できないので、住民票がないとサービスも受けられない。ＤＶから逃げた妻が、バレるのを恐れて住民票を届けられないケースもあります。また住所地主義だとホームレスの人を非常に不利にします。それで政府はこの住所地主義に例外をいろいろ作ってきました。たとえば、本当は旅館は住所にできないのに、簡易宿泊所を住所地にしてかまわないと例外規定を作ってきた。日本は原則と法律を変えずに、小手先の運用を変えてやってきたんですね。マイナンバーがあれば、そんな面倒な手続きが必要なくなりますし、今回の給付ももっと簡単に早くできたと思います。

政府が世論を気にして政策を変えたのはけっこうなことだけど、要は一貫性がないということです。つまり、もともと変更前の政策に根拠がなかったんでしょう。アベノマスクのような思いつきと、政策の非一貫性が目に余ります。

## 危機のツケを支払わされるのはつねに弱者

——感染症そのものに対する政策はどうでしたか？

医療現場で人が足りない時に、無資格でいいとは誰も言いません。なのに、介護と保育は無資格の人を使っていいと。そこに透けて見えるのは、ケアとは女なら誰でもできる非熟練労働だと、政策決定者が考えているという事実です。

**上野**　あっけにとられたのが、休校要請も緊急事態宣言も専門家会議抜きで決めてしまったことです。すべて思いつきと非一貫性しかないリーダーを持っている国民の悲哀を、今私たちは味わっています（笑）。

日本は医者の数が少ないといえども、医療水準は非常に高い。健康というのは医療水準、衛生水準、栄養水準、それから高齢者については介護水準、この4つの変数で決まります。死者が比較的少なかったのは、政府の対策のおかげではなく、そういう前提条件の相乗効果でしょう。

私は、日本の政治がこんなにうまく保っているのは、現場の人たちのモラルのおかげだと考えています。介護保険を見ていてしみじみそう思います。今回もそうです。これだけリソースが乏しい状態で、マスクも防護服も足りなくてもなんとか保っているのは、専門職の水準が高いからでしょう。現場の方たちが滅私の精神を持っておられるからです。しかし、この状態でうまくいってしまうと、原因の解決が遠のきそうで困ります。

今挙げた三つはどれもジェンダーに関する問題ですが、間接的にジェンダーに関係することとして、介護の問題があります。医療職の奮闘に対しては感謝が寄せられていますが、介護職に対しては理解と同情が届きにくい。その中で、介護職の人たちが情報もなく、無防備なまま働かされている。さらにデイサービスがどんどん閉鎖して、そうなると在宅で訪問介護を受けるしかないのに、訪問介護は圧倒的に人手不足です。それも昨日今日始まったことじゃない。あまりに労働条件が悪いので人が集まらないのです。このままでは限界だという現場の悲鳴は高まっていました。そこにコロナが直撃して、ますます追い詰められた。発熱した高齢者のと

私たちが大変危惧しているのは、政府が女性リーダーの養成に優先的にお金をつぎ込んでいることです。困った立場にいる女性たちよりも、恵まれた立場にいる女性たちの能力をさらに伸ばす方向へと資源が優先配分されている。

ころに無防備な状態で行かなければならない。ヘルパーが行かなくなれば、家族のいない独居老人は排泄も食事もできず、生きていけません。コロナ前から既になり手がいなかったところに、コロナ後に状況は悪化しました。今年の1月には介護保険の改悪に反対する院内集会を実施しましたが、現場からは「瀬戸際」「崖っぷち」の声が上がりました。その時点での介護ヘルパーの有効求人倍率はすでに33倍でした。集会の内容は本になっています（註2）。

それに対して政府が出した指針には怒りを覚えました。介護現場が人手不足なら、無資格の人を使っていいと。保育士不足対策も同じでした。医療現場で人が足りない時に、無資格でいいとは誰も言いません。なのに、介護と保育は無資格の人を使っていいと。そこに透けて見えるのは、ケアとは女なら誰でもできる非熟練労働だと、政策決定者が考えているという事実です。

——私はコロナ前からの日本の経済的低迷は、女性差別と外国人差別が原因だと思っていますが、そこまで話を広げると大きすぎますか。

**上野**　その通りです。男性の正規雇用を守って、女と外国人を非正規労働に投げ込んできたんですね。危機のツケを支払わされるのはつねに弱者です。年越し派遣村を見ていても、派遣切りをメディアが問題にしたのは、それが男の問題になった後で、女の問題の時はメディアは黙っていました。非正規問題は、もともと女が中心の問題でした。ずうっと私たちがパート差別を言っていた時にはマスメディアは歯牙にもかけなかった。どうせあんたたち、夫がいるからいいでしょと。新聞は「非正規労働が景気の調節弁として使われている」と書きますが、そんなこと最初からわかっていたことでしょう。もともと非正規労働は景気の調節弁のために作っ

註2　上野千鶴子・樋口恵子編『介護保険が危ない！』岩波ブックレット、2020年3月。

たんですから。政策設計の意図通りの効果です。それをやってきたのが小泉構造改革と竹中平蔵です。

## フェミニズムの未来

――20代から30歳前後の若い女性たちにフェミニズムが広がったことについてはどのように見てらっしゃいますか?

**上野** ようやくフェミニズムに対する風向きが、逆風から追い風に変わりましたね。その世代は田嶋陽子さんも知らず、フェミニズムに対するバッシングもスティグマも知りません。良くも悪くも無知な人たちです。フェミニズムに対するポジティブなイメージもネガティブなイメージも両方持たない世代です。フェミニズムを知ったのは、エマ・ワトソンや韓国がきっかけだったと言う。フェミニズムは日本にもあったよというと、知らなかったと新鮮に感じてくれるようです。

しかし、無知であるにもかかわらず、身体化された平等感覚を持っている。自分が男の子より能力がないなんて思ったこともない。自分がこんな不当な目にあっていいわけがない。こういう身体感覚を持った女性が育ってきた。私はそれがフェミニズムの影響だとは思いません。少子化のせいです。昔は、男の子は家の中の王様と思って育ったけれど、今は女の子も素直にすくすくやりたいことをやらせてもらって育つ。なのに社会に出てから自分は差別される側であり、セクハラされる側であることを経験して、怒りが湧くという女性たちです。

差別など味わったこともない女性たちがエリートとして、「悔しかったら私のようになってごらん」というような、自己責任へ行く可能性もあります。日本の男女共同参画政策はそちらの方に向かっています。私たちが大変危惧しているのは、政府が女性リーダーの養成に優先的にお金をつぎ込んでいることです。困った立場にいる女性たちよりも、恵まれた立場にいる女性たちの能力をさらに伸ばす方向へと資源が優先配分されている。こういう強者のフェミニズムもないわけではありません。

ただ、ネオリベ・エリート主義かマイノリティ救済かという二者択一で考えたくはありません。最初に話した、女性リーダーたちはちゃんと共感力を持っています。私は、政治は女向きの仕事かもしれないと前から思っています。政治とは再分配のシステムですから。

私が今回の一律給付に反対したのは、再分配の制度として不公平だからです。金持ちにも貧乏人にも均等にではなく、弱者に手厚くしたらいいじゃないですか。それで仲間と相談して、ＷＡＮ基金の中に「コロナ禍対策女性連帯プロジェクト」を作りました（註３）。政府が再分配をやらないのなら、私たちが市民的再分配をやる、と。額は少ないですが、必要でない人から必要な人へと、お金が流れる仕組みを作ろうと考えました。

その前提になるのが、「能力に応じて貢献し、必要に応じて受け取る」という考えです。これが「コミューンイズム」です。コミューンイズムというのは、通常「コミュニズム」と言われて「共産主義」と訳されていますが、正確に訳せば「共同主義」ですね。これに対して「能力に応じて貢献し、その貢献に応じて受け取る」のがネオリベです。再分配はそうじゃない。これが元々の政治の役目なんです。だとしたらこれは女の方が向いているんじゃないか。

註３　上野千鶴子「「ＷＡＮ基金コロナ禍対策女性連帯プロジェクト」のおしらせ」、ウィメンズアクションネットワーク、２０２０年５月10日。https://wan.or.jp/article/show/8925

そのように考えてきた女性たちがリーダーになってリーダーシップを発揮している現実を目にすると、私はやはり強者のネオリベ・エリート主義と弱者のマイノリティ・フェミニズムとが対立するものだとは考えたくないですね。

（取材：水越真紀、5月19日）

Photo by Yasuhiro Ohara

# 五野井郁夫

インタヴュー

## 日本は軍隊がないからこそ戒厳令を敷かなくて済む

### 世界各国の対応と日本との見比べ

Ikuo Gonoi (28 April 2020)

第一波と言えるこの3ヶ月の間、世界はコロナウイルスにどのように対応してきたのか？　各国・各地域の政治体制や経済政策、リーダーの性格や資質の違いは、何を明らかにしたのか？　人権やプライバシー、公衆衛生や習慣の相違、あるいは、半世紀近く続いてきたネオリベラリズムとグローバリズムの共犯関係などについて、政治地理学や社会政策の観点から検証する。

五野井郁夫
（ごのい・いくお）
政治学者・政治哲学者。高千穂大学教授。文化服装学院で美学も講義。著書に『「デモ」とは何か』（ＮＨＫ出版）、共著に『リベラル再起動のために』（毎日新聞出版）、共訳書にウィリアム・コノリー『プルーラリズム』（岩波書店）等多数。『現代用語の基礎知識』で政治用語の選定と執筆も。制作協力したＮＨＫ「ヨウジヤマモト〜時空を超える黒〜」がＮＹ映像祭とハンブルク映像祭でダブル金賞受賞。

## 個人情報と社会の安定のトレードオフ

――パンデミックは、世界中の国家に同時に同じ問題を解かせるドリルのようでした。

**五野井**　そうですね。時系列順に振り返れば、管理型の社会主義国家ゆえに強権を振るうことのできる中国は、人の移動を規制できるからうまくいったと言われていましたが、自由民主主義の国や地域では、情報をフルオープンにしている韓国や台湾が非常にうまくやった。権威主義で人々の権利を制限したほうがいいんだ、民主主義はダメだというような議論が2月頃にはありましたが、人々に納得してもらってロックダウンする際に政治家が説得し、みんなで決めてやっていく。そういうやり方が結果的に功を奏しました。

ただ、そこで問題なのは、韓国と台湾でもプライバシーを相当制限していたし、あるいは生体情報もクリアにしている。もちろんユーザーが情報を受け取る際や自らに関する情報を利用される際などに、許諾しないオプトアウト機能が日本とは違ってしっかりしているのだけど、それでも携帯電話のＧＰＳを開示させる形でやっている。イスラエルの歴史学者のユヴァル・ノア・ハラリなども警鐘を鳴らしていますが、健康や生体情報といったライフログと、社会の安定とのトレードオフが起きているのはとても怖いことです。本来我々は自分の情報を開示しなくても、健康や国からのサービスは受けられるはずです。それなのに国は健康でいたいと思うなら、お前の情報を差し出せという。

――しかもそのやり方が世界的に認められ、第二波に備えて、日本でも欧州でも位置情報アプリを採用しようとしています。

**五野井** 私は去年、香港の民主化運動の現地調査をしましたが、香港人たちは自分たちの生体情報を守るため、地下鉄を利用するさいオクトパスカード（日本でいうSuicaのようなもの）は使わないで移動をして、わざわざ切符を買っていた。でも今はかれらも携帯電話の位置情報を開示することについては同意する方向になっている。良し悪しではなく、今回のコロナウイルスにより、自分の情報をトレードオフとして開示することに積極的になっていったわけです。

—— 自分は死んでもいいから、では済まないんですよね。

**五野井** そうそう。それがすごくいやらしい。ただ一方では、社会というものに対する意識が我々に芽生えている。社会は他人事ではなく自分のことでもあるという意識です。でもその「我々の社会」という意識を政治の側が悪用して、「君たち、我々の社会を守りたいなら一致団結しましょう」と言い寄ってきている。我々は政府に言われたからでなく、自分の意思で閉じこもるわけだし、セルフロックダウンしたわけです。それをさも「従ってくれてますね」みたいに政府の手柄であるかのように掠め取っていくのは不快ですね。今ミネアポリスで、警察暴力によって黒人がまた殺害されたことで黒人暴動が起きていて、ヒップホップが好きなわれわれはむろん他人事ではなく自分のこととして怒る。この前日本でもクルド人男性が警察暴力を受けるという不正義があった。だからわれわれは立ち上がるべきなのだけど、そういうロジックを政府が転用してきている。

—— 今までのところ、プライバシーを返上させた国は台湾と韓国だけでしたか？

**五野井** その二国が先んじてやりました。あとは若干アイスランドとスウェーデンもやりました。アイスランドは日本の小さな県くらいの規模で、人口も７００万人くらいなので、そこで人々の移動を把握してクラスター監視をやったため、4月時点では0・3％くらいしか感染しなかった。スウェーデンはノーベル医学賞を振り出す機関であるカロリンスカ研究所が政策に積極関与し、国民の健康保険に関するログをとっていて、勝算があるため集団免疫に踏み出しました。でも際立っていたのは韓国と台湾ですね。どちらも「こうすることであなたたちの安全は守れます」と説得できたということです。

ただ私はそれを、必ずしもよいことだとは思っていないんです。やはり誰かに自分の動きを把握される恐ろしさがある。いつも誰かに見られている『アイズ・ワイド・シャット』や『マイノリティー・レポート』のような世界が加速しつつあることを我々は自覚した方がいい。「これが21世紀の戦争なんだ」という言い方をする人もいます。武器を用いた戦闘は起きないけれど、擬似的な戦時下状態に突入している、と。

## 緊急事態宣言と戒厳令の違い

**五野井**　戦争の比喩といえば、当初日本の人たちは、緊急事態宣言と戒厳令の違いをあまり意識していなかったと思います。戒厳令はマーシャル・ロー（martial law）、つまり「通常の法が閉じて別の法が開くものだ」と、かつてナチスに協力した政治哲学者カール・シュミットは的確に表現しています。われわれは健全な憲法体制下で生きていますが、戒厳令が敷かれると、通常の三権分立の政治が止まり、軍隊に権限が委譲される仕組みになっています。つまり軍隊

我々は政府に言われたからでなく、自分の意思で閉じこもるわけだし、セルフロックダウンしたわけです。それをさも「従ってくれてますね」みたいに政府の手柄であるかのように掠め取っていくのは不快ですね。

が存在しないと戒厳令は敷けない。でも日本は憲法により軍隊が禁じられています。よく自衛隊を軍隊としてもいいじゃないかという言う人がいますが、ここでちょっと立ち止まって考えなきゃいけないのは、軍隊がない国だからこそ、日本は戒厳令を敷かなくて済むということなんです。従わなかったら逮捕されるというような厳しい自由の制限以上に、様々な軍人による好き勝手な振る舞いやクーデターも起きる危険があるわけですが、今の日本はそのような危険に身を委ねなくてもよい政治体制なんです。これは世界的にとても珍しい。フランスやロシアのように高額の罰金で強制している国もありますが、これも「従わなければ最終的には軍隊の力で銃を突きつけるぞ」と政府の方はほのめかしているわけですね。

日本では休業「要請」でした。あくまで要請です。従わない店の公表はありましたし、警察も展開されましたが、でもそれ以上の武力鎮圧は軍隊がないとできません。日本では休業命令までしかできない。それですら新宿歌舞伎町では警察が調子に乗って警棒をちらつかせて威圧する事態が起きました。これが軍隊だったらもっとエスカレートするでしょう。警察権力と軍事権力とでは、市民にふるわれる暴力の次元が違います。緊急事態宣言というのは基本的には、日本のように軍隊がない中でこそできる措置です。ロシアは事実上の戒厳令ですし、フランスも社会的緊張感は非常に高かった。それと比べると日本は極めて文明的です。規制がゆるやかであることが悪く働けば、空気感で村八分が起こるというまずい事態にもなったけれど、うまく働けば「我々は強制力なしでも自分たちで決定して合意をして、自主的に家にこもるのだ」ということもできる。もちろん地域にもよりますが。

強制力を伴えない中で海外メディアが日本を「ソフトロックダウン」と呼ぶロックダウンに

近いことをするためには、いかに空気を醸成していくかが政府の仕事になります。抑圧的な村八分的な空気感にするのか、「みんな頑張ろうね」という空気感にするのかは政治家の力量によるし、我々市民の側が政治を信頼し、かつ批判的に監視できるかにもかかっている。政治家による抑圧の肯定に市民が乗っかってしまうと村八分状態になって、リンチ的に晒し上げるような事態も起こる。

## ネオリベラリズムの限界

――今回の対策を見ていて日本政府はかなり無能だと思いましたし、しかも以前から、内閣支持率の高さに反して、市民の政府への信頼は薄かったと思うのですが、集団隔離はそれにしてはうまくいったように思います。

**五野井** すべてを政府に頼るのではなく、企業を含めた市民社会が、無能な政府を追い越して力を取り戻していくという側面は見られました。でもそれは単純に、政府が何もしてくれないという期待感のなさゆえですね。マスクもその他の衛生用品も政府の配給より先に市場に出回りました。税金分のサービスはちゃんとしろと言いたいですね。市民社会の強靭さはそれなりにあるものの、国が何もしてくれない中で、経済的に困窮した時、松屋や吉野家の「牛丼が福祉」になっているという政府責任を放棄した言説と同様に、経済困窮した女性にとって「性風俗はライフライン」など愚かでセクシストな発言が出てくるわけです。不況になっても、女性が不本意に風俗で働くようなことにならないよう手当を施すのが政府の仕事です。それをしない政府の不作為については厳しく批判していかなければなりません。

――ＩＣＵ（集中治療室）のベッド数が、日本はイタリアより少なくて、イギリスと同じくらいだったそうです。日本とイギリスは世界に誇る国民皆保険制度を持っている国ですが、これは一体どういうことでしょう。

**五野井** イギリスにはＮＨＳ（National Health Service）という健康保険制度がありますが、80年代のサッチャー改革と日本の中曽根に始まり小泉政権がアクセルを踏んだ新自由主義改革の悪影響のせいで、医療に使える費用が大幅に削られました。日本とイギリス、そしておなじく80年代にレーガノミクスと呼ばれる新自由主義的な財政支出カットを行なったアメリカに共通するのは、まさに新自由主義が効きまくっているということです。彼らが無駄と判断した病院のベッドはすでにカットされていたわけです。国民健康保険があってもなくても、新自由主義の国ではベッドが少ない。韓国は一時期は李明博《イ・ミョンバク》政権時に新自由主義に行っていましたが、文在《ムン・ジェ》寅《イン》政権以降は揺り戻して、まともになってきている。

――これを機に今後、新自由主義が弱まっていく可能性はありますか？

**五野井** それは多いにあると思います。イギリスではボリス・ジョンソン首相自身が、かつてＮＨＳを削ろうとしたサッチャーが言った、助け合うべき「社会なんてものはない」、だから各個人が自己責任で生きろという発言を踏まえた上で、「社会はあった」「ＮＨＳよ、ありがとう」と言ったわけです。サッチャー以降、ＮＨＳのサービスを縮小し、本来削ってはいけなかった医療を削ってきたことへの懺悔をしたんですね。ずっとケン・ローチ監督が映画で描き、「このままじゃ社会がもたないよ」と訴えてきたことを、「本当にもちませんでした」と言ったわけです。その意味では、今回のコロナショックが、イギリスの保守党ならびに新自由主義者たちに政策の転換を迫っていく。社会と国を維持していくためにある程度の余裕は必要だということですね。ある程度余裕をもって可動性のある医師や看護士を雇用しておかなければならないということが、少なくともイギリスでは、それからアメリカ全土ではないですが州レベル、例えばニューヨーク州などでは言われ始めています。

日本もそうですが、マスクのみならず食糧輸入の途絶など、新自由主義と足並みをそろえていたグローバリズムも実は相当難しいのではないかということがわかってきている。マスクはほとんどを中国からの輸入で賄っていましたが、高くてもある程度は国産で作っていく方向にするでしょう。日本で暮らす労働者にまともな賃金を払って、雇用の状況をよくしていく方向になっていく契機になるかもしれない。

―― 各国で、社会政策における雇用維持や所得補償の違いなどはありますか？

**五野井** 雇用維持のために、企業や個人に所得補償を全額から8割程度まで行なう政策が多くの先進国でとられています。今回を機にベーシックインカム的な考えも主張されていますが、我々は働くということで自尊心が維持されますから、仕事も維持されなくてはならない。所得も維持して、仕事も維持する。ベーシックインカムを支給しながら、仕事も維持するということでやっていく方向は基本的に同じです。

それでも各国別に見るとドイツやアメリカのように、アーティストにもお金を迅速に給付した例はあります。先日国会で安倍首相が、日本の給付金はドイツと遜色ないとうそぶいていましたが、問題はいつ支払われるかですよね。4月に請求される家賃を6月にもらっても間に合

> 軍隊がない国だからこそ、日本は戒厳令を敷かなくて済むということなんです。従わなかったら逮捕されるというような厳しい自由の制限以上に、様々な軍人による好き勝手な振る舞いやクーデターも起きる危険があるわけですが、今の日本はそのような危険に身を委ねなくてもよい政治体制なんです。これは世界的にとても珍しい。

わない。金額の多さはもちろん重要ですが、早く給付が行き届かねばならない。

――なぜ日本は迅速にできない？

**五野井** できない理由はないです。マスク配布の方がお金を配るより大変だと思いますよ。アメリカは内国歳入庁という省庁があって、税金を管理するところですが、そこに自分の口座がある人にはそこから振り込む。口座がない人はトランプ大統領名の小切手が送られてくる（笑）。小切手は、IDを確認しなければ換金できないことにしておけば、送ること自体は比較的簡単にできますよね。小切手であれ銀行振込であれ、いろいろできる。実際に我々は麻生政権の時に1万2千円を受け取った経験もあるわけです。あれは1ヶ月でできましたよ。今はもっと迅速にできる。

## 有事に必要なのは自衛隊ではなく医療従事者だった

――日本政府は緊急事態宣言も休業要請もプライバシー追跡もすべてに抑制的で、一見、個人と個人の活動を尊重しているかのようにも見えました。

**五野井** そこはまさに個人の活動を尊重していたと思います。1月末には、危機が差し迫っている中で、新型コロナ感染症を指定感染症に指定するかどうかで丁寧な議論をしていました。悠長な話に聴こえるけど、省庁は細心の注意を払って個人の権利制限にダメージがないようにやっていたのです。個人の権利を制限する時は「これから規制しますよ」というアナウンスを必ずして周知しないといけない。人々の自由を制限する法令というのは簡単には行使できない仕組みになっているのです、今の日本の法律では。それを変えて悪用しようとしている人たちがいる。

――日本は規制は緩いけれど、国民からの信頼は低かったですね（5月後半までの対策への不支持は6割弱）。他方、ニュージーランドのように早期にロックダウンをしたり、ニューヨークやドイツのように多数の死者が出ても首相や市長への信頼が高いところもありました。

**五野井** ドイツなんか5千人くらい累計で亡くなっているけれども、メルケル首相のリーダーシップと発言が信頼できるということでみんな従っています。それは科学的根拠を示して情報をフルオープンにしているからです。政治家が私見で「こうなんじゃないか」などと言わず、専門家に発言してもらって、かつ情報をクリアにする。説明責任が果たされているかに加えて、リーダーシップがある。日本の場合は、透明性も説明責任もないし、元々信頼されていない政治家だということもあります。メルケル首相もコロナ前に人気はありませんでしたが、ちゃんと知見を持っている人を前面に出して、ドイツ政府に科学者の委員会を作らせて、情報も全部開示して説得した。

――日本でも専門家会議はありましたが、全国休校要請や緊急事態宣言についての政府決定はそことは無関係に行なわれ、その割に専門家会議は独自の記者会見を開いて政府とは違う見解を言う。そのことで科学者が矢面に立つことにもなったけれど、責任の所在が見えなくなった時期がありました。

**五野井** まさにその部分です。科学者は政治責任は取りません。「責任はメルケルが取る」ということで引き受けるわけです。でも日本は科学者に説明させて、ある種の責任転嫁をしてしまった。ドイツの他にもフランスやニューヨークでは、科学者に説明はさせるけれども、それ

運が良かったことと政策がうまくいったこととは違う。明確な政策を出した結果、死者数が少なかったということではない。様々な偶然が重なった結果、こうなっただけに過ぎません。死者数はもっと少なくできたはずです。

をちゃんと引き受けて政治家が政治責任を持って訴えていきました。安倍政権はそれをやらなかった。理由は明白で、責任を負いたくなかったんです。

この事態に最低限必要だったのは何だったと思いますか?

**五野井** 安倍政権は、有事の時には自衛隊が必要だといっていましたが、実際のところ有事の時に必要なのはベッドと医療従事者だった。「自衛隊を強くすればいい」とか「憲法を変えればいい」と主張する人がいたけれど、それは間違っていました。イタリアやスペインはリーマンショック後、EUの主導で緊縮財政になりましたよね。この5年くらいのヘルスケア費支出では、イタリアとスペインがGDPの9%以下、フランスとドイツは11%強。イタリアとスペインは、人間同士の身体的距離や愛が深かったこともあるかもしれませんが、それ以前に医療費を削りまくってきた。ちなみに日本の医療費支出はGDP比8ないし9%です。昔は15%くらいあったんですが。イギリスは9・6%です。

パンデミックという「ドリル」で、羨ましく感じるほど、他国の良さがたくさん見えました。でも日本では死者が少ないという事実もあり、全体をどう捉えたらいいのか悩みます。

**五野井** 運が良かったことと政策がうまくいったこととは違う。明確な政策を出した結果、死者数が少なかったということではない。様々な偶然が重なった結果、こうなっただけに過ぎません。死者数はもっと少なくできたはずです。オリンピック中止をもっと早くに決断して、科学者の提言に従い緊急事態宣言をもっと早くに出していれば、より少なくできたでしょう。日本の医療と科学技術、そして公衆衛生のレベルをすべて活かせば、死者はゼロにできたと思いますよ。問題は「死者が何名まで許容できるか」ではなく「死なせるか、死なせないか」です。

無能な政治家や官僚は死者数を減らすことを数字で考えますが、政策のプロは「死なせない」という目標を立てた上で考えなければならない。死者数が少ないことは言い訳にならない。なぜならば初動が遅くなければ、確実に救えた命なのですから。

我が国の場合、軍隊がなく、従って戒厳令もありえませんから、たとえロックダウンしたとしてもゆるふわなソフトロックダウンしかできない。でも人々は、きちんと説明されれば自主的にやろうと思うはずです。たしかに最後までパチンコ店に並ぶ人もいたかもしれない。でもほとんどの人は自分で考えて、自分の判断で自主隔離をやり抜いたのです。強制力がなくても、ちゃんとうまくできる国だということを言っていかなきゃいけない。強権発動も軍隊も必要ない、と。

（取材：水越真紀、4月28日）

Photo by Mariko Sakamoto

# 桔川純子

インタヴュー

## 住民がお互いにワクチンになった

Junko Kikkawa (13 April 2020)

### 市民の自発性をベースにしたソウル市のコロナ対策

4月末に感染者数をゼロに持ち込んだ韓国の素早いコロナ対策は国際的に注目を集めた。ソウル市の中心政策である「住民主導のまちづくり」の理念が国の政策に反映された結果だという。個人の移動経路（動線）情報の公開については「人権侵害」との批判もあったが、総選挙での与党圧勝が多くの国民の支持を裏付けた。韓国市民社会に詳しい桔川さんは「市民の連帯意識が功を奏した」と分析。生活に根付いた民主主義が第1波のコロナ感染を抑え込んだのか？

桔川純子
（きっかわ・じゅんこ）
大阪外国語大学修士課程アジア語学専攻修了。ＮＧＯ勤務などを経て、ＮＰＯ法人・日本希望製作所（現在はＮＰＯ法人・希望の種）副理事長。明治大学兼任講師。著書は『ろうそくデモを越えて』（東方出版、共著）、『危機の時代の市民活動――日韓「社会的企業」最前線』（東方出版、共著）など。

## 世界的ミュージシャンらも注目

――U2のボノやビル・ゲイツが韓国の文在寅《ムン・ジェイン》大統領に新型コロナウイルス対策の支援を要請し、経済支援を申し出たという話をフェイスブックで報告していましたね？

**桔川**　韓国はPCR検査の大量実施と軽症者と重症者を隔離する政策など素早い対策によって、4月下旬には感染者数ゼロに持ち込みました。既に世界40ヶ国に対して支援を行なっていますし、国際的な評価は高まる一方です。しかもボノやビル・ゲイツだけでなく、カナダのトルドー首相やフランスのマクロン大統領、アメリカのトランプ大統領ら世界中の首脳からも相次いで文大統領に電話がかかっています。作業服姿で大邱《テグ》や医療現場などを視察する韓国大統領の姿は連日のようにテレビのニュースで報道されました。自宅の豪華な応接室のソファーで愛犬をなでているどこかの首相とは雲泥の差があります。

フェイスブックで韓国のこのような情報を伝えようと思ったのは、東京新聞の相坂穣ソウル特派員が書いた記事（3月31日付朝刊「視点」）を読んで違和感を覚えたからです。「韓国のコロナ防疫対策　さらされるプライバシー」というタイトルの記事です。韓国では保健当局が感染者の訪問先を動線情報としてフェイスブックで公開しました。2次感染を防ぐための効率的な措置です。市民団体が行政の動きを監視していましたし、韓国の知り合いの多くは高く評価していました。ところが、この記事は一部の批判的な意見だけを取り上げ、それがまるで韓国全体の世論であるかのように書かれています。疑問を感じました。

――韓国の環境保健市民センターの国民意識調査によると、動線情報の公開について「不可避な措置」とする賛成意見が88・３%、「人権侵害」が７・９%でしたね?

**桔川**　多くの国民が動線情報の公開を評価していたことは、４月15日に行なわれた総選挙で文大統領を支える革新系与党「共に民主党」連合が、３００議席中１８０議席を獲得し歴史的圧勝に終わったことでも明らかです。実は、感染者自身が自分の意思で情報提供に応じていたケースがほとんどでした。韓国、特にソウルの人たちは相互扶助の精神で問題解決を図ろうとする住民間の連帯意識が強いからです。今回のコロナ禍でも行政とともに住民が率先して感染拡大防止に動きました。後で詳しくお話ししますが、ソウル市の朴元淳《パク・ウォンスン》市長が政策の中心に据えてきた住民主導型まちづくりの成果が国のコロナ対策にも生かされたと思いました。

　動線情報の公開は数あるコロナ対策の中の一コマにすぎません。東京新聞の特派員はソウルに住んでいても、ソウル市民の意識の変化に気がつかず、一面的な記事を書いてしまったとしか思えませんでした。ソウルではここ数年、朴槿恵《パク・クネ》政権を倒した「キャンドル市民革命」(註１)など市民運動の高まりを象徴する出来事が起きています。朴市長は「市民こそが主権者である」という信念から、この市民運動を強力にバックアップしました。記者室でテレビを見ながら記事を書いている大手メディアの記者には目の前の〝真実〟が見えなかったのでしょうか。

## 軽症者向けセンター設置で医療崩壊を回避

――韓国のコロナ対策について教えてください。

註１　朴槿恵前大統領の退陣を求めて、２０１６年10月から２０１７年３月まで、毎週土曜日に全国70都市で約１６５０万人が集会とデモに参加した大衆抗議行動。国会が弾劾訴追案を可決した２０１６年12月にはソウル市の光化門前広場を１７０万人が埋め尽くし、大統領退陣を求めた。ソウル市の朴市長は、市民に向けて放水させないよう治安部隊への給水を拒否し、女性や子どもの参加者を保護するため安全要員を配置するなど参加者を擁護する対策を取った。

**桔川** 韓国では4月末に新型コロナウイルスの市中感染がゼロになりました。韓国の新型コロナウイルス感染者数（5月11日現在）は1万909人で死者数が256人でしたが、ソウル市では683人しか感染者が出ておらず、死者は2人です。同時期の日本は感染者数1万5777人・死者数646人、東京は感染者数4869人・死者数180人です。5月中旬になってソウル市の繁華街・梨泰院《イテウォン》のクラブで新たに102人の集団感染が発覚しましたが（註2）、東京同様、人口1000万人超の過密都市ソウルで圧倒的に死者数が少ないのは驚きです。

アジアでは台湾とともに、韓国のコロナ対策が世界中で注目されましたが、実は、そのモデルはソウル市のコロナ対策でした。朴元淳《パク・ウォンスン》市長は2015年10月に、MERS（中東呼吸器症候群）感染を市長として経験しています。朴市長は「過剰であっても素早い対応が後手の対応に勝る」という原則を打ち立て、徹底した先手の対応を行ないました。ソウル市は特別市で市長は政府の閣議メンバーです。同じ政党に所属する文大統領への影響力もあり、ソウルのコロナ感染対策が国の政策の骨子になりました。

ソウル市はまず、感染者の実態をつかむため、保健所でPCR検査を実施したほか、ドライブスルーやウォーキングスルー方式でのPCR検査も始めました。ソウルではこれを〝選別診療所〟と呼んでいますが、診断キットの開発と迅速な検査による感染者の早期発見に務め、医師や医療スタッフ、患者らへの2次感染を防ぎました。この選別診療所は、韓国全土で635ヶ所、ソウル市内で96ヶ所設置され、1日1万5000件から2万件以上の検査が可能になり、4月中旬までで検査数は延べ50万件を超えました。さらに保健所の下に保健支所を創設し、保健医療へのアクセスを住民の生活圏にまで拡大しました。

註2 このクラブは性的少数者（LGBTなど）の来客が多く、個人情報の公開に限界があったと言われている。感染拡大を十分に防ぐことができなかったのは、韓国社会に根強いLGBT差別に一因があるとの指摘もある。

さらに感染者の症状に応じて、「重度応急治療センター」と「生活治療センター」に分けて対応しました。生活治療センターの方は民間や公共の研修施設を借り上げ、軽症者だけでなく、重症者であっても治療によって回復した人たちにも、自宅に帰る前の中間期間として自主的に〝自己隔離〟してもらいました。医療費はほぼ無料です。さらにその人たちに医薬品などが入った衛生キットと食事や生活用品を無償提供しました。これで医療崩壊を防ぐことができました。世界でも例のない措置です。

## 住民こそがワクチン

——ソウル市のコロナ対策を具体的に教えてください。

**桔川**　韓国では2月中旬に新興宗教団体から集団感染が発生した大邱《テグ》でさえ、都市封鎖（ロックダウン）など政府主導の一方的な強硬措置をとりませんでした。その代わり、ソウル市では散発的に起きる集団感染を予防するため、公務員を大動員し、宗教施設やカラオケボックス、ネットカフェ、さらには密接な接触の恐れのある事業所など計1万5000ヶ所を事前に調査し、防疫措置を取りました。こうしてクラスターの発生を阻止したのです。

また、ネット社会を背景にＩＣＴ（情報通信技術）など先端技術を積極的に活用し、検査機関や試薬メーカーでの審査体制を増強することで、ＰＣＲ検査の結果が6時間以内に本人に届くようにしました。ソウル市内には携帯電話の災害メールがありますが、さらに新型コロナウイルスのプラットフォームをつくり、感染者に関する情報や動線をリアルタイムで流すことがで

政府や行政による強圧的な措置でも、一方的な押しつけでもありません。住民の自発的参加が基本です。住民同士の相互扶助や連帯意識がベースにあります。

きました。保健所を住民の生活圏にまで拡大するため、各地区に保健支所を創設しました。

もちろん、それは先ほどもお話ししましたが、本人の自主的な情報提供によってはじめて可能になりました。そのお陰で、新型コロナウイルスの自己診断アプリや自己隔離アプリなども開発され、コロナ感染拡大防止に大きな威力を発揮しました。政府や行政による強圧的な措置でも、一方的な押しつけでもありません。住民の自発的参加が基本です。住民同士の相互扶助や連帯意識がベースにあります。もしそうでなかったら、「キャンドル市民革命」のように、多くの市民が立ち上がり、街頭で抗議行動を起こしていたことでしょう。韓国やソウルでは「自らが主権者である」という市民意識が強いからです。

市民が自ら防疫の主体となり、個人情報を提供し、それが4月末までのコロナ対策の成功につながったわけですが、こうした市民意識の高さを示す事例はほかにもたくさんあります。韓国では政府が緊急事態を宣言したり、都市封鎖を実施しなかったのですが、それは市民の側が感染拡大防止のため自主的に動いたからです。上からの強制的な措置は必要ありませんでした。

マスクの着用や社会的距離の確保、不要不急の外出自粛などはもちろんでしたが、住民が自分でマスクを作って隣近所の人たちと分かち合ったり、商店街では家主が店舗の賃貸料を値下げしたり、オンラインイベントの開催で「コロナと戦う」歌や踊りをつくってお互いを励ましたりさまざまな取り組みがありました。住民が相互にアイデアを出し合い、困っている人を助ける活動が各地で始まりました。こうした住民同士の相互扶助活動の背景には、朴市長が「福祉安全政策の死角をなくす」として、２０１２年から始めたマウル共同体政策や、２０１５年からの「訪ねて行く洞《トン》住民センター」（チャットン）という福祉制度があります。「洞」というのは「町」より小さい人口1～4万人の行政区画です。ここに福祉職員6～7人と看護師1人を配置し、高齢者や生活保護受給者など社会的弱者の自宅を訪問するようになりました。コロナ禍が拡大する中でも〝出前福祉〟の活動は続けられました。こうして、困っている人たちの状況が地域全体で共有されるようになり、孤立しがちな高齢者の生活支援や買い物代行などさまざまな市民同士の助け合いにつながったのです。

朴市長はこうした市民の自発的な取り組みのことを「住民がお互いにワクチンになった」と高く評価しました。3月27日に、米ロサンゼルス市長の緊急提案で、世界96主要都市が参加する「C40都市気候リーダーシップグループ」のテレビ会議が開催されましたが、朴市長は「住民こそがワクチンだ」というソウル市独自の取り組みを報告し、世界中の注目を集めました。韓国では最大100万ウォン（約9万円）の緊急災害支援金、中小企業に手厚い雇用維持支援金、フリーランスや日雇い労働者、高齢者への生計費支援など手厚い政策が整備されましたが、韓国のコロナ対策がうまくいった最大の理由は、朴市長の住民中心政策が基本にあったことだと思います。

## 暮らしの中の民主主義

――ソウルで住民の自発的な取り組みが可能になったのはなぜですか？

**桔川**　2011年10月にソウル市長に当選した朴元淳《パク・ウォンスン》氏は、元々は弁護士で韓国NGOのリーダーでもありました。2006年に希望製作所という市民参加型シンクタンクを韓国で設立し、

ソウルではマスクやトイレットペーパー、食料品などの買い占めは起きませんでした。行政からの情報提供が早かったこともありますが、住民同士の助け合いの精神や市民意識の高さがそうさせたのでしょう。

地域活動の支援や市民社会の担い手の育成に取り組みました。日本にもＮＰＯ法人日本希望製作所を設立し、私が朴氏の下で事務局長を務めました。

朴氏がソウル市長になってまず手がけたのは「マウル共同体事業」の促進でした。マウルとは韓国語で「まち」や「村」を意味します。大都会の真ん中で住民が主体となって運営するコミュニティ再生事業です。親子や数人の仲間で協同組合や社会的企業など非営利団体を設立して事業展開しているケースもあります。マウル共同体事業が地区全体へと拡大したのはソウル市麻浦《マポ》区のソンミサンマウルという地区からです。１９９４年に30歳代の夫婦25世帯が「良い環境で子どもを育てよう」と集団移住し、生活や教育の必要に応じて、共同保育所、地域食堂、代案学校、コミュニティ住宅、市民劇場、市民図書館など数多くのマウルの市民共同体事業を次々と立ち上げました。

同時に、この地域では住民間のトラブルなどさまざまな課題を解決するため、たびたび住民集会を開いて議論を尽くし、新旧住民の合意を得る努力をしてきました。まさに「暮らしの中の熟議民主主義」の実践です。朴氏は市長になると「ソウル市内にソンミサンマウルを15ヶ所つくる」と公言し、〝半官半民〟の中間支援センターを設立しています。「住民の、住民による、住民のための事業」を育てるため、①住民自らが計画立案する、②予算は包括型とする、③市民参加型の評価システムをつくる——という3つの柱を掲げてマウル共同体事業をサポートしてきました。

その結果、数年で１３００を超すマウル事業がソウル市内に誕生しました。ソンミサンマウルのような地区も次々と生まれています。そこでは住民の「居場所と出番」がつくられ、演劇やお祭りなど市民による新しい文化芸術活動も花開いています。ソウルではマスクやトイレットペーパー、食料品などの買い占めは起きませんでした。行政からの情報提供が早かったこともありますが、住民同士の助け合いの精神や市民意識の高さがそうさせたのでしょう。ソウル市長が培ってきた住民中心のまちづくりが根付き、コロナ禍に際して大きな威力を発揮したのだと思います。

　こうした韓国についての情報が日本ではほとんど報道されません。コロナ対策で韓国に世界の注目が集まったことも日本ではまったく知られていません。この間、安倍政権が文在寅《ムン・ジェイン》政権を敵視する政策をとってきたことも無関係ではありません。4月の総選挙で政権与党が圧勝したニュースを、日本の民放テレビ局は「今後の日韓関係の悪化が心配です」と伝えました。まるで保守政権の返り咲きを期待していたかのようです。日本の政治やメディアが劣化し、アジアの現実や歴史に背を向けはじめているのではないでしょうか。今回のコロナ禍が、日韓関係を通して民主主義について再考するきっかけになることを期待します。

（取材：土田修、4月13日）

SEIBU

Photo by Yasuhiro Ohara

# 宇都宮健児 インタヴュー

## 緊急事態宣言の意味

### 本当に困っている人たちに必要なこととは

Kenji Utsunomiya (20 April 2020)

政府は4月7日に緊急事態を宣言し、全国で外出自粛や飲食店の休業などが要請された。憲法で守られた「個人の権利」を制限する重大な措置だが、生活苦にあえぐ働き手や商店主らへの補償は十分でなく、高齢者や非正規雇用への救済も手ぬるかった。コロナ禍は世界中で数百万人の失業者を生み出すといわれる。果たして、市民連帯による「安心して暮らせる社会」の実現は可能なのか？

宇都宮健児
（うつのみや・けんじ）
１９４６年愛媛県生まれ、東京大学法学部中退。弁護士、反貧困ネットワーク代表世話人、公正な税制を求める市民連絡会共同代表。著書に『自己責任論の嘘』（ＫＫベストセラーズ）、『韓国市民運動に学ぶ――政権を交代させた強力な市民運動』（花伝社）など多数。

## 危機意識も想像力も欠如した安倍政権

**――安倍首相は4月7日に新型コロナ特措法（改正新型インフルエンザ等対策特措法）に基づく緊急事態宣言を発令しました。対象区域は東京を含む7都府県でしたが、16日には全都道府県に拡大されました。緊急事態宣言の問題点は？**

**宇都宮** 緊急事態宣言の対象になった都道府県では、知事の要請で学校や商業施設の使用が制限され、住民は不要不急な外出の自粛を求められました。緊急事態宣言によって移動の自由、集会の自由、表現の自由が奪われます。記者会見場への入場も制限されましたので、報道の自由にも影響しています。それに土地や建物の収用も可能になります。憲法で守られている国民の基本的な人権を制限する、問題の多い措置ですので、政府には透明な情報公開と説明責任が求められます。

安倍首相は2月下旬に突然、小中高校の全国一斉休校を要請しました。学校で感染が拡大していたわけではありません。差し迫った必要性があるのか科学的データも示されていません。全国一斉で要請する理由も明らかにされませんでした。首相が本当に専門家の意見を聞いて判断したというのなら、要請にいたる議論のプロセスを明らかにすべきでしょう。ところが官邸は専門家会議の議事録が存在しないと言って公表しようとしません。そのうえ、政府は子どもを抱える親たちが日中働きに行けなくなることをまったく考えていませんでした。

学童保育や託児施設がいっぱいになり、逆に危険性が増す可能性についてもそうです。さまざまな困難や苦労を国民に押しつける以上、必要な措置を前もって考えておく必要があります。これは民主国家のやり方ではなく、独裁国家の手法そのものです。それに〝アベノマスク〟と揶揄された全世帯への布マスク２枚の配布にしても、首相が自宅の豪華な応接室でくつろいでいる星野源さんとのコラボ動画にしても、首相と側近官僚の想像力と危機意識のなさに驚くほかありません。

ところで、今回の緊急事態宣言ですが、改正される前の新型インフルエンザ等対策特措法は民主党政権時代の２０１２年４月の参院本会議で、民主党と公明党などの賛成多数により可決・成立しました。共産、社民両党は反対し、自民党は欠席しています。その特措法の32条に、新型インフルエンザ等の全国的かつ急速な蔓延により国民生活及び国民経済に甚大な影響を及ぼす場合に、政府対策本部長（総理大臣）が「緊急事態」を宣言するとあります。この条文は非常にあいまいで漠然としており、具体的な要件は政令に委ねてしまっています。しかも、総理大臣は国会に報告しさえすればよく、事前事後の国会承認を必要としていません。

国民の権利を制限する法律なのですから、国会承認を必要としないというのはおかしなことです。特措法が下敷きにした災害対策基本法（１９６１年）では国会の承認が得られない場合は、緊急事態宣言を撤回しなくてはいけません。今回の改正案は3月13日に参院本会議で可決・成立しました。自民、公明両党だけでなく、立憲民主党や国民民主党も賛成に回りました。一歩間違えば、憲法が定めた立憲主義を脅かす危険性をはらんだ法律です。山尾志桜里議員が立憲民主党を離党しましたが、やはり「国会承認」の問題についてもっと慎重に議論すべきだったのではないでしょうか。

安倍首相は４月７日の衆院議員運営委員会で、憲法に戦争や大災害など非常時に内閣に権限を集中する「緊急事態条項」を設ける憲法改正の議論を呼び掛けました。コロナ禍を「憲法改正の大きな実験台」と言った自民党大物議員もいました。国民の間にも「緊急事態宣言をもっと早く出すべきだった」という声もありましたが、安倍政権は今回の緊急事態宣言を〝前例〟として国民になじませ、国民の権利を大幅に制限する緊急事態条項を憲法に付け加えようと狙っているようです。災害に便乗した危険な思想と言わざるをえません。

## 「生活できない」、働く人々のうめき声

コロナ禍の最中に安倍政権は、今国会での成立は見送りましたが検察庁法改正案や、農家の自家採種の権利を制限する種苗法改正案など「火事場泥棒」ともいわれる法案を提出していました。コロナ禍で苦しむ多くの国民の声は安倍首相に届いているのでしょうか？

**宇都宮**　国が緊急事態宣言を発令し、都道府県知事が外出自粛と飲食店などの休業を要請したことで、自営業者や個人事業者、フリーランス、派遣社員らは苦境に立たされています。政府や行政が迅速な補塡の措置を取ろうとしないからです。全国の弁護士、司法書士、社会福祉士、労働組合などで臨時に「コロナ災害を乗り越える　いのちとくらしを守るなんでも電話相談会実行委員会」を結成し、４月中旬に電話相談を行ないました。相談に応じられたのは受信者数42万件のうちわずか計５００９件でしたが、「仕事と収入が途絶え、自宅や店舗の家賃や住宅・事業ローンが払えない。生活費も底をつきそうだ」という切実な声が共通していました。どれ

国民の権利を制限する法律なのですから、国会承認を必要としないというのはおかしなことです。特措法が下敷きにした災害対策基本法では国会の承認が得られない場合は、緊急事態宣言を撤回しなくてはいけません。

もまじめに働く人たちのうめき声です。

もし、こうした切羽詰まった人たちの声が安倍首相に届いていたとしたら、所得の減った世帯にのみ30万円を給付するという当初の案は出てこなかったでしょう。それに、４００億円かけて〝アベノマスク〟を全世帯に送ったり、世界保健機関（ＷＨＯ）に１５０億円を拠出することもなかったはずです。韓国のように戦闘機やミサイルなどアメリカ製兵器の購入を先延ばししていても不思議はありません。緊急事態を宣言しておきながら、国民生活の切羽詰まった〝緊急事態〟には真摯に向き合おうとしているようには見えません。

相談内容は、生活費の問題（２７２３件）が一番多く、労働問題（６６９件）、健康問題（２５７件）、住宅問題（２３４件）などとなっています。「会社から１ヶ月の休業を要請されたが、給料を払ってもらえない」「派遣会社から4月10日に離職してくれと言われた」「タクシーの運転手だが、会社から出勤しないように言われた。住宅ローンも車のローンも払えない」「シングルマザーなので小学校の休校で退職せざるをえず収入がなくなった。失業給付を受けようと思ったが、自己都合退職扱いですぐに受給できない」「コロナ感染の疑いをかけられ、会社から『出勤するな、辞めろ』と言われ、3月末で退職した」など切実なものばかりです。

音楽家、美容師、マッサージ師、居酒屋、パソコン教室、喫茶店など個人経営者やフリーランスの仕事をしている人も大変な状況に置かれています。「総合支援金の窓口に相談したら2週間かかると言われた。家賃が払えない」「お客がほとんど来ない。死んでしまいたい」など、どれもお先真っ暗な状況が伝わってきます。「夫からＤＶ被害を受けてビジネスホテルで寝泊まりしている」「結婚式場をキャンセルしたら違約金を請求された」「貸し部屋の賃貸契約を結んだが引っ越しできない。契約解除は可能か」という声もたくさんありました。「本屋に行ったらマスクをしていない人が追い出された。人権侵害ではないのか」というコロナ差別に関する意見、「（給付金手続きの）スピード感が遅い。危機管理能力がない」「もっと国民のために早く対策をとってほしい」「先進国とはいえない」など国に対する批判、「（外出自粛で）８割接触を減らすというならもっと補償が必要」「コロナ収束まで継続的に支給を続けてほしい」という数々の要望が寄せられました。

　そのほか、多かったのは生活保護利用者からのもので、「一律10万円の給付金を収入認定しないでほしい」という不安の声でした。生活保護世帯は月々の生活保護費を受給していますので、生活保護費以外の収入があると生活保護を差し引かれることがあるからです。生活保護利用者が不安を感じるのは当然のことです。

　というのも、２０１１年の東日本大震災の際に、義援金は収入認定され、生活保護費から差し引かれました。生活保護を打ち切られたケースもあり、日弁連で調査を行ないました。コロナ禍でも生活再建に使うべき給付金を、生活保護世帯だけ税金の穴埋めにされるというのはおかしなことです。結論からいうと、今回の一律給付について、厚労省は特例的に「収入認定の対象としない」という通達を出しました。今後は、役場の窓口などで誤った対応が行なわれないか監視していかなくてはなりません。

　また、反貧困ネットワークや避難の協同センター、ＮＰＯ自立サポートセンターもやい、生活保護問題対策全国会議、住まいの貧困に取り組むネットワークなど全国20数団体が集まってつくった「新型コロナ災害緊急アクション」では、生活保護制度の周知徹底、解雇や雇い止めを規制するための失業補償や雇用調整助成金の上限引き上げ、休業補償などによる緊急対応を求めてきました。また、4月23日には、なんでも電話相談会実行委員会とともに、政府あてに「外出・業務の自粛要請をするのであれば、安心して休める『補償』（現金給付）がセットで行なわれるべき」という緊急要望書を出しています。現金支給も一度ではなく、さらなる追加支給など支援体制の強化を求めました。

　行政側は生活保護や失業者・外国人労働者を保護する制度について「通知している」とよく説明しますが、社会的にまったく浸透しているとは思えません。そうした努力を行政がしていないからです。ソウル市では地下鉄の車内に生活保護制度の宣伝が貼ってあります。緊急事態宣言の発令中、東京都の小池都知事はテレビやラジオに繰り返し出演し、外出自粛や〝3密〟回避を呼び掛けましたが、本当は「困っている人のために生活保護という制度があります」と宣伝すべきでした。そこにも国民の生活に対する危機意識のなさを感じます。

## 「安心して暮らせる社会」を構築

――今後も第2波、第3波のコロナ禍が予想されますが？

**宇都宮**　人類は1930年代の世界大恐慌以来、最大の危機に直面しています。世界中で何百万という人たちが職を失い、何百万の企業が倒産することでしょう。今こそ、憲法13条が定める「尊厳ある人間の生存」を支えるという財政の本来の目的に立ち返り、財政の力を最大限発揮してこの難局に立ち向かうべき時です。これからは人々の生活の建て直しを図り、コロナ禍で明らかになった日本社会の脆弱さを見直し、中長期的な財政施策を実行する必要があります。

政府は緊急事態宣言とともに１０８兆円規模の経済対策を発表し、「過去にない強大な規模」と説明しましたが、国が支出する一般会計補正予算は、現金を給付する生活支援臨時給付金４兆円と個人事業主や中小企業向けの事業継続給付金２兆３０００億円を含めても16兆７０００億円にすぎません。政府の説明とかけ離れた極めて不十分な内容と言わざるをえません。しかも、政府は4月20日になって、減収世帯に限った30万円給付案が国民の猛反発を受けたことから一律10万円給付案に切り替えましたが、これもコロナ禍に対する危機意識のなさをよく表しています。

いずれにせよ、政府のこれまでの財政政策の延長ではこの危機を乗り越えることはできません。さらなる大規模な財政出動を実行するため、根本的な政策転換を図る必要があります。財源については、当面は国債発行で賄い、最も打撃を受けた人々にはより少なく、余裕のある富裕層の人たちや、利益を得ている大企業にはより多くの税負担を求めなければなりません。さらに、過去最大となった防衛費５兆３１３３億円を見直し、大幅に削減してコロナ対策へと回すべきでしょう。

これまで日本社会では〝自己責任〟が声高に叫ばれ、格差と貧困の拡大を容認してきました。今回、コロナ禍は、高齢者や失業者、非正規労働など不安定な職業の人たちに最も大きな犠牲を与えました。政府の〝弱者切り捨て〟政策が招いた結果です。今こそ日本社会の脆弱さを直視する時だと思います。コロナ禍を契機に、保育、教育、医療、介護などの分野で、人間の普遍的かつ基礎的なニーズに応えることのできる制度づくりを考えていくべきです。

コロナ禍は、高齢者や失業者、非正規労働など不安定な職業の人たちに最も大きな犠牲を与えました。政府の〝弱者切り捨て〟政策が招いた結果です。今こそ日本社会の脆弱さを直視する時だと思います。

そのため、医療や教育の無償化を実現するなど、国民が相互に租税を負担し連帯し合う社会への転換を進めなければなりません。例えば、所得税については、累進税率を高め、株の配当所得など金融所得に対する課税を強めます。法人税については、やはり税率を高め、租税特別措置を廃止し、大企業ほど負担率の低い法人税制を改革する必要があります。

また、第二次世界大戦後に一時導入されたことのある富裕税を導入し、一定規模以上の資産に課税することも検討すべきでしょう。それは不公平税制のあり方を是正し、所得の再分配効果の高い制度をつくるためです。第2波、第3波のコロナ禍に備えるためにも、個人の尊厳や社会連帯といった理念を掲げ、誰もが安心して暮らせる社会の構築を目指していくことが大切でしょう。

（取材：土田修、4月20日）

# 重光哲明

インタヴュー

## ウイルスは万人に平等に襲いかかる？

Tetsuaki Shigemitsu (20 April 2020)

### フランス在住の医師が語る公衆衛生と疫学の重要性

アフリカやアジアなど発展途上国で発生していた伝染病が、先進国の大都会で猛威を振るいはじめている。都市封鎖によって2ヶ月近く自宅で〝監禁生活〟を送ったパリ在住の医師は、緊縮財政によって医療・保健体制の崩壊が進み、公衆衛生や疫学が忘れ去られた結果だと嘆く。コロナ禍は高齢者や貧困層を狙い撃ちにした。こうした社会的弱者が多く住む地区のことを「第4世界」と称する医師は、「健康格差」の是正を念頭に公衆衛生の見直しを提唱する。

重光哲明
（しげみつ・てつあき）
１９４５年東京生まれ、パリ在住外科医。東京医科歯科大学医学部卒、東大病院助手などをへて、１９８０年～81年、日本政府派遣難民援助医療団の一員としてカンボジアへ。その後、渡仏し、パリで熱帯医学、疫学、公衆衛生学などの専門医の資格を取得する一方、フランス政府などの仏語圏アフリカ諸国の医療・保健プログラムなどに参加。著書に『グローバル化と人間の安全保障』（日本経済評論社、共著）など。

――新型コロナウイルス感染症（COVID-19）対策としてマクロン大統領はフランス全土に「外出禁止令」を出しましたが、パリはどういった状況でしたか？

**重光**　大統領は3月12日にテレビで演説し、保育園、小学校から大学まで公的教育機関を閉鎖したのに続き、14日からは食料品など生活必需品を除くすべての商店の閉鎖を命じました。さらに、17日正午から全国で「外出禁止令」が発令され、欧州連合（ＥＵ）諸国の国境も閉鎖されました。生活必需品の買い出しや、自宅周辺での散歩などは許されましたが、自己申告の証書と身分証明書を持っていないと、警察官や憲兵隊員の検問に引っかかり、罰金が課されました。

ロックダウン（都市封鎖）が始まると、日中や夜間の車や人通りはほとんどなくなりました。自宅で監禁状態になった私たちは、まるで檻の中の動物でした。市内ではバルコニーや窓に政府を批判するスローガンを張り出し抗議の意思表示をする家庭もありましたが、あっという間に警官に踏み込まれました。ジョージ・オーウェルが『１９８４』で描いた「監視社会」そのものでした。

ロックダウンによる影響は、家庭内暴力、アルコール依存症、摂食障害が増加しただけでなく、商店の倒産、失職者やプレカリアート（不安定雇用）の若者の自殺も相次ぎました。外出禁止令が宣言された17日時点でのフランスの感染者数は７７３０人、死者は１７５人でした。これは保健省に情報の上がった病院で死亡した方の数だけです。高齢者施設や独り暮らしの高齢者はＰＣＲ検査を受けておらず、コロナの死者数に入っていません。高齢者施設での死者数は４月７日からようやく少しずつ計上されるようになりました。

実は２月中旬にパリ北部オワーズ県クレイユ市とフランス北東部ミュルーズ市で重篤患者が集団発生し、地域医療崩壊の危機が始まっていました。政府がやっとコロナ対策に本腰を入れはじめたのは、重症患者が有名な大学病院の集まるパリに転送されてくるようになり、集中治療室が飽和状態になってからです。病院内では医療用マスク、消毒剤、検査キットが不足し、手洗いや消毒も不十分だったため院内感染が蔓延してしまいました。

フランスでは、ここ30年間、特に２００８年のリーマンショック以降、ＥＵの新自由主義的な緊縮財政の圧力で公共サービスの削減と民営化が進み、病床・スタッフ・医療機材などの削減で医療現場が疲弊していました。１年前からは全国規模で公立病院の医師や医療スタッフによるストライキが発生し、デモの際、治安部隊による暴力的な鎮圧が続いていました。こうした状況下で、医療崩壊の危機を前に政府が専門委員会に指名したメンバーは、大統領お気に入りの御用学者や現場を知らない大学教授ばかりで、まともな疫学者や保健衛生の専門家は入っていませんでした。

外出禁止令２日後には、高齢者の救急受付を拒否する旨の指令文書がパリの公立医療機関に配られました。密かにトリアージュ（優先選択）が進められていたのです。その一方、政府は民間企業から物資を徴用できる「公衆衛生緊急事態法」を国会で強行採決しました。外出禁止令で出勤できない労働者の休業日数のうち10日間までを、会社側が「有給休暇」にできるように

ウイルスは万人に平等に襲いかかるはずですが、衛生状態や栄養状態の良くない地域の人たちに大きな被害をもたらします。昔はアジアやアフリカなどいわゆる「第３世界」で発生していた感染症が、先進国のど真ん中で蔓延するようになりました。

するなど、企業側に都合の良い法律です。一昨年から争点になっていた労働法「改悪」も強引に成立させました。まるで「火事場泥棒」です。外出禁止令によって抗議活動や集会が禁止されているので政府はやりたい放題です。

しかも、大統領の「人命より経済を優先する」という姿勢は相変わらずで、財界の圧力で工場や大企業は閉鎖されませんでした。経済学者のフレデリック・ロルドンは月刊紙『ル・モンド・ディプロマティーク』のウェブ版（3月19日）で「私たちを統治する馬鹿者たち」と題する記事を掲載し、「国家は金を数えるが、私たちは死者を数えるようになるだろう」という医療関係者デモのアピールを引用しました。コロナがまだ本格的に拡大する以前に、ロルドンはフランスの悲劇を予見していたのです。

――アジアに比べて欧州での死者数が格段に多いのはなぜでしょうか？

**重光** 5月に入ってフランスの死者数はイタリアとスペインを追いかけるように、2万5千人を超えました。確かに、新型コロナは感染力が強いようですが、致死率は同じコロナウイルスでもＳＡＲＳ（重症急性呼吸器症候群）やＭＥＲＳ（中東呼吸器症候群）に比べて低いのではないかと言われています。なのに、イタリアやスペイン、フランスで多くの死者が出ているのは、緊縮財政によって医療体制が崩壊寸前にあり、感染拡大を防ぐための初期対応ができていなかったからです。

韓国のようにＰＣＲ検査を大量に実施し、感染者を隔離し、医療スタッフがマスク着用や、手洗い、うがいなどできちんと身を守っていれば、これほどまでに重症患者を続出させることも、院内感染を拡大させることもなかったのではないでしょうか。もちろん、20年来の新自由主義的政策に基づく緊縮財政によって医療など公共サービス部門の予算が削減され、集中治療用のベッドや人工呼吸器が不足していたことも確かです。この間、他の先進国の多くもそうですが、フランスでもパンデミック（世界的大流行）対策への関心が急速に低下していたのです。

パリのまだ古風な隔離病棟が散在していたクロード・ベルナール病院で私が熱帯医学と疫学を研究していた80年代には、フランスの医学界にも、流行病対策や公衆衛生に強い関心を持った医師や研究者がたくさんいました。当時、フランスで初のエイズ患者が出た時も、この隔離病棟で治療に参加しましたが、医学部教育ではもはや、公衆衛生学はあまり顧みられなくなっていました。ある意味、この時代がフランス医療の転機だったのかもしれません。

80年代はポスト・コロニアリズムの時代です。イギリスやフランスには、旧植民地に対する責任意識がまだ残っていました。マラリアや黄熱病といった伝染病が発展途上国から欧米各国にやって来ないように防疫上の必要性もありました。最近では、中央アフリカにあったエボラ出血熱が西アフリカで流行した時は、防御のため、欧米各国が最先端の医療団を派遣して治療と研究に当たっています。

## ポスト植民地主義から「第4世界」論へ

――公衆衛生学や疫学が欧州で顧みられなくなったのはなぜなのですか？

**重光**　冷戦が終わり、新自由主義的グローバリゼーションがEUの原則になったからです。資本は怖いものなしですから、安価な労働力を求めて工場は国外移転し、国内では不法滞在者や

新型インフルエンザなどが流行するたびに、WHOはパニックを煽る緊急キャンペーンを発することがあります。それが各国や製薬会社からの資金集めにつながるからです。

外国人労働者、失業を恐れるプレカリアートが劣悪な労働条件で使い捨てにされてきました。こうして先進工業国である「北」の内部に生活環境の劣悪な「第4世界」が出現しました。社会的諸権利を享受できず、保健医療からも遠ざけられた社会的弱者の存在と、彼らの生活状況がコロナ危機で鮮明に浮かび上がっています。

「第4世界」というのは、高齢者だけではなく、低所得で働く不安定雇用の人たちなど社会的弱者が多く住む貧困地区のことです。ウイルスは万人に平等に襲いかかるはずですが、かつての結核のように、実は衛生状態や栄養状態の良くない地域の人たちに大きな被害をもたらします。昔はアジアやアフリカなどいわゆる「第3世界」で発生していた感染症が、先進国のど真ん中で蔓延するようになりました。最近の感染症は開発途上国ではなく、先進国の大都市で流行するようになりました。例えば、撲滅したはずの結核の再燃がそうです。結核対策として、先進国やWHO（世界保健機関）は公衆衛生の原則である集団統計の収集や衛生教育、居住環境の改善をやるべきでした。その代わり、国家が製薬会社と結びついてワクチン開発や新抗生剤開発に全力投球してきました。国家が感染症対策を民間企業と市場原理に委ねてしまったのです。

ウイルス感染に弱いといわれる肥満や生活習慣病の人が多いのも「第4世界」の特徴です。ニューヨークでは黒人とヒスパニックが死者の6割を占めています。フランスでもパリ北東のセーヌ・サン・ドニ県で被害が多発しています。「健康格差」が明確になっています。コロナ禍は「第4世界」を直撃し、社会的格差と貧困の問題をあぶりだしました。ここの住民が3K職場や病院・高齢者施設の主要な担い手です。それが院内感染の原因のひとつになりました。

先進国やWHOの方針転換によって、伝染病対策は「集団」を扱うのではなく、高度先端技術、検査・治療機器、治療薬などによって「個人」を対象にした医療へと移行しました。基礎研究や現地調査、データ収集も人件費と研究費の削減によって困難になりました。19世紀後半に欧州で生まれた国民や労働者を保護する社会医療保険、年金制度など社会保障の時代は終わりました。万人平等の原則は崩れ、儲かる医療、すなわち新薬・ワクチンの開発と先端医療機器に重点が置かれるようになりました。

公衆衛生の歴史を知っておくことも大切です。18世紀の産業革命後、都市への人口集中によってペストやチフス、特に、感染率と若年死亡率の高い結核などの流行病や感染症が蔓延しました。労働者をいかに守るかが、19世紀の欧州の最大の課題でした。とりわけ、資本主義の発達と国家統一が遅れたドイツ語圏では、プロシア（後のドイツ）の宰相ビスマルクが先進資本主義国の英仏に追いつこうと、欧州で初めて本格的な社会政策を開始しました。健全な労働者や兵士を育てるためです。

その前の18世紀に、英国の医学者ジェンナーが天然痘に対する種痘ワクチンを実施し、19世紀前半にはゼンメルワイス（註1）が感染症の原因を病原体によるものだと考え、医師に手洗いを指導しました。疫学や衛生学にとって大きな進歩です。19世紀後半は、ドイツの医師コッホによる細菌学の発展、フランスの生化学者パスツールによる殺菌法の発見などさまざまな成果に支えられ、衛生学や疫学、公衆衛生学が花開きました。

ドイツでは公衆衛生の思想が民間レベルにまで浸透しました。今回の新型コロナウイルス対策でも、ＰＣＲ検査数が欧州で一番多かったのはドイツです（4月12日で累積約１７３万件）。早々

註1　ハンガリー人の医師イグナーツ・ゼンメルワイス（１８１８〜１８６５年）。ウィーン大総合病院の産科で勤務していた時、院内でお産をする女性に産褥熱で死亡する症例が多いことに疑問を持ち、医学生が死体解剖後、手を洗わずに妊婦に接していたことを突き止めた。まだ病原菌や微生物が発見されていない時代に、お産処置前の医師に手の洗浄を励行したところ、産褥熱の死亡例を劇的に下げることに成功した。当時の医学界には認められなかったが、その功績は後世に認められ「感染制御の父」と呼ばれている。

と感染者を隔離するための病院外施設を設置し、隔離・マスク・手洗い・消毒といった感染予防措置もきめ細かく実施しました。

一方、パスツールは民間の研究所を設立し、植民地で細菌学の研究や感染症の治療に力を注ぎました。当時、独仏は軍事的に対立し、細菌学、感染症学の分野でも論争を繰り広げ、大きな進歩がありました。第1次世界大戦末期に米兵によって持ち込まれたスペイン風邪が欧州をはじめ、パンデミックを引き起こしました。日本で予防医学や公衆衛生の観点からマスクの着用が民間レベルで普及したのはこの時期です。

疫学にはもう一つの流れがあります。植民地に派遣された軍隊と植民地支配の〝道具〟として疫学は目覚ましい発展を遂げました。特に、19世紀後半は大英帝国が世界の覇権を握っていました。この時期、インドとアフリカ、中国などの地域で伝染病の爆発的な流行がたびたび起きています。このため植民地の住民の間で起きる伝染病から現地人と英国人を守るため、さまざまな手法が編み出されました。衛生教育、都市封鎖、クラスター探しなどです。今回のコロナ禍と同じです。

――WHOはどのような役割を果たしたのですか？

**重光** 80年代に入るとWHOも財政難に陥り、民間製薬会社への依存が強まります。80年代末に巨大製薬会社出身の事務局長が就任したこともあり、公衆衛生による「集団の医学」から投薬を中心とした治療医学へと方向転換しました。ワクチンを開発さえすれば、ウイルス感染が収まっても、予防ワクチンとして売れるわけです。

新型インフルエンザなどが流行するたびに、WHOはパニックを煽る緊急キャンペーンを発

「集団免疫」論は、ウイルスの流行がこれまで「例外なくある経緯で収束する」という過去の経験から編み出された疫学上の経験則です。今はやりのエヴィデンス医学や現地調査データ抜きの数理疫学とは違います。

することがあります。それが各国や製薬会社からの資金集めにつながるからです。ウイルスに対するワクチンや薬剤の開発競争がWHOの方針に影響を与えているのは間違いありません。その間にも発展途上国では感染症の状況は一向に改善していません。エボラ出血熱を見るまでもなく、アフリカなどではウイルスや細菌による風土病が頻繁に流行しています。

ところが、国際通貨基金（IMF）や世界銀行が開発途上国に押しつけた構造調整プログラム（註2）による民営化と、WHOの〝製薬主義〟への方針転換によって、アフリカ諸国の現地住民は地域医療から見放されてしまいました。開発途上国で発生する伝染病も先進国に拡散しない限りは問題になりません。製薬会社が熱帯向けの予防薬や治療薬を作ったとしても、買ってくれる国がそんなにはありません。こうして、製薬会社も高血圧や糖尿病、がんなど先進国向けの病気へとシフトしていきました。

## 公衆衛生の伝統と感染対策

――コロナ禍では欧州各国で死者数に大きな違いが出ています。なぜでしょうか？

**重光** 確かに、欧州各国はアジア諸国より死者数が圧倒的に多いようです。ただ、今回のコロナ禍が例外的な一大パンデミックなのか、都市周辺の局所的な流行なのか、通常のインフルエンザと同程度のものなのかは分かりません。統計上の超過死者数が発表されていないからです。コロナ禍で比較的、死者数が抑えられた国は、従来の公衆衛生や疫学の原則的処置に従って対応していたように思えます。

註2　1980年代に、アジア、アフリカ、南米など発展途上国で深刻化する累積債務問題を受けて、国際通貨基金（IMF）と世界銀行が、債務返済が困難になった国を対象に、公共部門の縮小と経営の効率化、価格と貿易の自由化、為替の自由化などを融資の条件とした構造改革案。市場開放と規制緩和による新自由主義的政策によって公務員の失業と貧困層の切り捨てが増大したとして、国連アフリカ経済委員会（ECA）などが厳しく批判し、国内生産力基盤の強化、所得配分の公正化など代替案を提示している。

フランスは一般市民を自宅に封じ込めながら、経済活動を維持するため公共交通機関を止めませんでした。中途半端な戦略です。医療崩壊に対処するには感染者を隔離する施設や専門病棟をつくるなど他にも選択があったはずです。政策決定に関わったエリート専門官たちは、「集団免疫」論と「都市封鎖」策を、それぞれ対極にある異なった戦略と考え、前者を危険な「社会ダーウィニズム」（註3）として拒否しました。「集団免疫」を実行すれば「何十万人の死者が出てしまう」という持論に固執したからです。

確かに、中国・武漢のように地域を限った「都市封鎖」であれば効果は期待できます。ところが、南欧のような、疫学的、保健衛生的な根拠が明確ではない都市封鎖は前代未聞の政治的な実験でしかありません。医療関係者や社会的弱者に対する対策も検査体制も不十分なままなされた極めて無謀な策でした。欧州で死者数の多かったイタリア、スペインも公衆衛生学や疫学が十分に機能しているようには見えません。一方、ドイツで死者数が少なかったのは、大量検査の準備が整っていたことと、コッホ以来の公衆衛生学や伝統的な予防医学の伝統が残っていたからでしょう。

一方、第二次大戦後の英国では、医療の国営化、健康保険、失業保険、年金など社会保障の一括整備を提案した「ベヴァリッジ報告書」によって、「ゆりかごから墓場まで」と言われる社会保障制度が築かれました。植民地主義に由来する公衆衛生や疫学の思想も残っていました。しかし、１９７９年のサッチャー政権誕生以来、「小さな政府」による公共部門の民営化が進み、社会保障費は大幅に削減されました。貧困格差の拡大やセーフティーネットの喪失など社会問題が深刻化する中、脆弱になった英国社会をコロナ禍が襲ったのです。

註3 哲学者のヘーゲルや社会学者のコントらが唱えた、社会の進歩に関する理論を踏まえ、ダーウィンの生物進化論を適用して社会現象を説明しようとする社会理論。

また、スウェーデンやフィンランドなど北欧には社会福祉国家としての歴史があります。公衆衛生の考えも色濃く残っています。スウェーデンは欧州で唯一、都市封鎖を実施しませんでした。国境も閉鎖せず、学校や図書館は平常通りでしたし、バー、レストランも営業を続けました。その一方、保健大臣が社会的距離を取ることを呼び掛け、手洗いや消毒、手袋着用を推奨しました。難民系住民の保護に落ち度があったものの、スウェーデンがコロナ対策で成功したとすれば、それは公衆衛生の考えと市民意識の高さの結果です。

「集団免疫」論は、ウイルスの流行がこれまで「例外なくある経緯で収束する」という過去の経験から編み出された疫学上の経験則です。今はやりのエヴィデンス医学や現地調査データ抜きの数理疫学とは違います。新しいウイルスが流行するたびに、そのウイルスに固有の「集団免疫」確立の比率も異なりますし、抗体の持続期間も予測できません。いかに地球規模のパンデミックといえども、どこでも通用する普遍的な対処方法というものはありません。

欧州のコロナ対策で唯一信頼できる疫学調査を行なっているのは英国の研究グループだけです。英国の疫学は大英帝国時代の歴史を反映しており、その伝統は今も根強く残っています。都市封鎖前から英国のほか、パリ周辺やフランスのロワール河流域でも英国の研究グループが調査しています。北イタリアではこのグループの指導で民間研究所が調査を実施しはじめました。大流行以前に住民の大多数が既に抗体を持ち「集団免疫」が確立していたと思われる町村がいくつか存在していたと報告しています。

「パンデミックと監視社会」は「ペストと異端審問」と同類です。私たちはまるで「中世への回帰」を経験しているようです。

## 今後の世界にパンデミックは何をもたらすのでしょうか？

**重光** 人類がウイルスに勝利したことはいまだかつてありません。抗生物質は細菌には効果がありますが、ウイルスを退治する治療薬は今のところ存在しません。ワクチン開発には時間がかかり、開発されてもウイルスはあっという間に変異して〝新型〟に変化するので、ワクチンは効かなくなってしまいます。いかに科学技術が発達しても、この先、ウイルス感染症とワクチン開発のいたちごっこが続くことでしょう。

ただし、たくさんの人が感染し抗体を持つことで集団免疫が確立されると、流行は収束します。もちろん指をくわえて感染拡大を眺めているわけにはいきません。長年の感染症の歴史から経験的に学んできたように、手洗い、うがい、消毒による感染防止や、社会的距離を取ることによって感染拡大を抑制することができます。

今回のパンデミックの特徴は、例年の名もないインフルエンザと違って、ウイルスの同定が非常に早かったこと、中国・武漢での事態のセンセーショナルな映像がメディアやネット上で世界中を駆け巡り有名になったことです。その結果、医学、医療の問題が専門家の枠に留まらず、広く議論されているのは良いことです。ただ、ネットやメディアが加熱し、不確かで無責任な情報を垂れ流してしまいました。コロナ禍によって世界中で国境が閉ざされましたが、そのほとんどは保健衛生学上の根拠に基づいての措置ではありませんでした。都市封鎖は、疫学的データに基づいて時間や空間を限定して行なわなければ効果は期待できません。都市封鎖が世界的に行なわれたのは近代史上、初めてのことでしょう。

「閉じ込める」「監禁する」というのは、ヒト・モノ・カネが地球規模で行き交うグローバリゼーションとは真逆のものです。EU内の各国も国境を閉ざしており、マスクの奪い合いまであり、一昔前のナショナリズムの時代に遡ったようです。今回のコロナ禍と都市封鎖によって欧州の人々は監禁され、不必要に恐怖心を煽られました。将来、21世紀は「パンデミックと監視社会」の時代だったと言われるかもしれません。14世紀、ペストの流行時に、ボッカチオが『デカメロン』で描いた中世は、一方では「異端審問」に象徴される暗黒の時代でした。「パンデミックと監視社会」は「ペストと異端審問」と同類です。私たちはまるで「中世への回帰」を経験しているようです。

要注意なのは、国家や権力が不測の事態を利用して緊急事態や非常事態を宣言し、上から、個人の権利や表現の自由に制約を加えようとすることです。フランスでは２０１５年11月に発生したパリ同時多発テロ以来、非常事態宣言が2年間も続き、国民の権利である街頭デモや集会が禁止されました。日本でも緊急事態条項を憲法に押し込もうとする動きが出ていますが、欧州でも独裁主義や自国中心主義に向かおうとする国家が次々と現れてきそうです。

パンデミックによって「衛生思想」が改めて見直されているのも気になります。公衆衛生を重視したナチス・ドイツは優生思想と結びつき、「障害者」や「同性愛者」を「生きるに値しない生命」と決めつけて抹殺しようとしました。「人種衛生」の考えも加わり、ユダヤ人をはじめとするマイノリティーの絶滅へと突き進みました。

ナチス・ドイツだけの問題ではありません。それ以前のワイマール共和国の時代に「犯罪者」や「労働忌避者」に「生命の価値」があるのかないのかが既に議論されています。それはビス

註4　フランスの医師で作家（１８９４〜１９６１年）。本名はルイ＝フェルディナン・デトゥシュ。第一次大戦に従軍した後、医学の勉強を開始し、１９２４年にゼンメルワイスの生涯と業績についての論文で医学博士号を取得。ロックフェラー財団の援助で国際連盟に就職後、アフリカに赴任、公衆衛生学や熱帯医学を研究した。その後、反ユダヤ主義に転じ、「完璧なパスツール消毒法を見習え」などと公衆衛生のレトリックでユダヤ人排斥を訴えた。著書は『夜の果ての旅』（中央公論社）。

マルクの社会保障制度の延長上にある議論です。「健康な労働者」に求められるものは「生産性」です。「生産性」を基準に「生きる価値」を判断したがる政治家が日本にもいます。フランスのセリーヌ（註4）を持ち出すまでもなく、衛生思想にはファシズムに向かう落とし穴があることを肝に銘じておくべきでしょう。

そのためには、この集団を扱う疫学や公衆衛生の歴史的成果を、国や私的利益でもなく、私たちの社会の共有財産として、私たちの手に取り戻し、道具として使いこなさなければならないと思います。

（取材：土田修、4月20日）

# 篠原雅武

インタヴュー

Masatake Shinohara (30 April 2020)

## 新しい感覚の構造に私たちは気づきつつある

### エコロジーの観点から見たパンデミック

人間活動の結果が人間自身の生きる基盤を揺るがす――「人新世」なる着想が人口に膾炙してからしばらく経つけれど、では今回の新型コロナウイルス~パンデミックは、気候変動やエコロジーの観点から眺めた場合、どのような意味を持つのか？　私たちを生かしてくれている「場」そのものについて考える。

篠原雅武
（しのはら・まさたけ）
京都大学大学院総合生存学館特定准教授。哲学、環境人文学。著書に『公共空間の政治理論』（人文書院）、『空間のために』（以文社）、『全‐生活論』（以文社）、『生きられたニュータウン』（青土社）、『複数性のエコロジー』（以文社）、『人新世の哲学』（人文書院）。訳書にティモシー・モートン『自然なきエコロジー』（以文社）など。

## 崩れる人間と野生のバランス

これまで「人新世」について考えてこられた篠原さんご自身としては、新型コロナウイルスによって引き起こされた今の状況を、どのように見ていますか？

**篠原** 割と冷静で、じつはそれほど驚いていません。人間世界が自然世界に揺さぶられるなか、基本設定が崩壊する過程で起きた一つの出来事、起こるべくして起こった出来事という気がしています。たとえば、4月27日の英『ガーディアン』紙に掲載された記事（註1）に、ある科学者の書いた論文が紹介されていました。「COVID-19 Stimulus Measures Must Save Lives, Protect Livelihoods, and Safeguard Nature to Reduce the Risk of Future Pandemics」という表題の論文です。その冒頭では、コロナウイルス発生は、気候危機や生物多様性の危機と同じく、人間活動によって引き起こされたと書かれています。新型コロナウイルスは、コウモリから発生したと言われていますが、ではなぜコウモリから人間へと移ったのか。単に野生動物としてのコウモリに人間が近づいた可能性もありますが、食用にコウモリを使っていて、そこから感染したのではないかと言われています。つまり野生動物の領域に人間が入り込んで、そことの接点で、ウイルスをもらってしまったという説です。これと同様の事態は今後も起こりうるし、もっとヤバい病気が発生するかもしれないと書かれています。

野生動物の濫獲は、「人新世」の問題の一つでした。人間が自然を変えることによって、人間の生存する条件までもが揺さぶられてしまう、というのが人新世の考え方の基本ですが、今

註1 "Halt destruction of nature or suffer even worse pandemics, say world's top scientists".

回の事態も、人間が自然を改変したことの結果としてウイルスを発生させてしまったのではないか、と考えることができそうですね。

　コロナ禍を受け、マイク・デイヴィス（註2）が「大疫病の年に」（webちくま）というエッセイを公開していました。彼は以前『感染爆発』という本を著している。これは『スラムの惑星』（明石書店、２０１０年）と同時期に書かれた本で、エコロジカルな危機とスラム化（居住世界の貧困化）をパラレルに論じるなかで書かれたのですが、このエッセイも同書で提案された枠組みを踏まえています。『感染爆発』（紀伊國屋書店、２００６年）によれば、エイズウイルスの発生の原因はチンパンジーだそうです。アフリカのある地域に、魚を獲ることで生活していた人々がいた。けれども都市化の影響で、農村人口が流入して人が増えてしまい、魚を獲るだけでは生きていけなくなった。それで周辺の野生動物を食べるようになった。その時にチンパンジーも食べていたそうですが、そこからエイズウイルスが人間世界に広まった。

　鳥インフルエンザにしても、食肉工場のシステム内で発生し、広まったらしい。鳥からヒトへの感染は、そこを起点とする。こう考えるなら、他の生命体に対する暴力的な行ないが、回り回って人間にまで飛び火してしまったと言えるかもしれない。

　問題の一つは人間が動物の領域に入り込みすぎたということ。つまり、野生の領域と人間の領域との間に引かれていたボーダーラインが破られたことにより、大変なことになってしまった。ではどうすればいいか。『ガーディアン』で紹介されていた論文では、ちゃんと境界線を維持すること、人間の生活を、環境破壊をしない形で維持することによって、人間自然のバランスが保たれる方向へと持っていくしかないと言われていますが、僕が思うには、そうするた

註2　アメリカの都市理論家／歴史家。訳書に『要塞都市LA』（青土社）、『自動車爆弾の歴史』（河出書房新社）など。

めにも、人間が自分をとりまく世界についてのイメージ、思想的設定を基本的に変えないことにはどうにもならない。

僕自身、今回のパンデミックは、現実的にはワクチンの開発が済まない限り収束しないと見ています。ウイルス研究に関わっている人から聞いた話では、かなりややこしいウイルスらしいので、そう簡単にはいかないみたいですが。ですが、問題はそこに留まらない。今後起こりうるパンデミックについても考えないといけない。ワクチンが開発されても、「この」コロナウイルスとはまた別の、場合によっては今回を上回る強力なウイルスが発生する可能性も十分にある。そうしたら、また別のワクチンを開発しなければならない。いたちごっこですよね。この悪循環をどこかでやめるのか、そもそもやめることができるのか——そういったことを考える状況に入ったということではないでしょうか。

今回のパンデミックは、人新世的な状況に特有の事態の先触れではないか。来るべきより大変なことの予兆なのではないか。２０１９年は、世界では多くの山火事が発生していました。日本でも巨大台風が上陸し、都市機能が崩壊した。台風だけでなく、豪雨の規模も巨大化している。にもかかわらず、日本では、「来年はオリンピックだし、まあ普通の年になるだろう」というようなムードに覆われていたように思います。けれども、個人的には妙に禍々しいものを感じていました。たとえば、オリンピック開催時に気温が人間の許容度を超えるほどにまで上昇し選手や観客が大変なことになるのではないか。気候変動ゆえの大変な災害が２０２０年には多発するのではないかと考えていました。そうなる前の段階で今回のパンデミックが訪れたので、夏はどうなってしまうのだろうと気になっています。

ところで、最近翻訳の出た『地球に住めなくなる日』（NHK出版、原著は２０１９年刊）という本がありますが、著者のデイヴィッド・ウォレス・ウェルズは本を出した後も、ツイッターやコラムなどでずっと気候変動関連のことを取り上げていたのですが、彼は今回の事態に対しても感度が良くて、既に警告が発せられていたのに、なぜ我々はそれをまともに受け取らなかったのかと問いかける記事を書いています。表題は、「Why Was It So Hard to Raise the Alarm on the Coronavirus?」です。それによれば、今年の1月20日に、ハーバード大学の感染症関連の研究者であるEric Feigl-Dingがツイッターで次のように警告していたそうです。現在大変なウイルスが中国で発生している、感染力がものすごい、スペイン風邪の比ではない、スペイン風邪の時は今日ほどグローバル化が進んでいなかった、ゆえに今回人類はかつて経験したことのないようなパンデミックを迎える、と。にもかかわらず、多くの人は「まさかそんなことはないだろう」と受けとめてしまって、知らんぷりを決め込んだ。それはつまり、警告をまともに受け取るだけの感覚と思考回路が、人間たちの側にちゃんと備わっていなかったということですね。

新型コロナウイルスの発生自体は自然現象です。人間がボーダーラインを崩してしまったという意味では人間が原因ですが、少なくともトランプが主張しているように、武漢の研究所から漏れ出たとか、中国政府による陰謀だとか、そういうことはおそらくないでしょう。人間個人の意図によって発生したのではなく、自然現象として発生している。そのかぎりではどうしようもない。人間的尺度を超えたところで発生している。そのどうしようもない危機を受け止める準備ができていなかったのではないか。

人間が自然を改変したことの結果としてウイルスを発生させてしまったのではないか。他の生命体に対する暴力的な行ないが、回り回って人間にまで飛び火してしまったと言えるかもしれない。

感度が高い人であればすぐに「ヤバい」と気づけたのでしょうけれど、人間全体としてはなかなか動けなかった。そのツケが回ってきている。だからこれを機に、今後も今回のようなことが起こりうると認識して、対応できるような社会の仕組みを作っていくしかない。ノンヒューマンなリアリティに対応可能な人間社会を作り直すことです。とはいえ口で言うのは簡単ですが、大変な作業ではあると思います。

## ウイルスが気づかせてくれたこと

――新型コロナウイルスによるパンデミックの状況を受け、イギリスの哲学者ティモシー・モートンが、「ウイルスよ、ありがとう、わたしたちと共生してくれて」という短いテクストを4月2日に公開しました（註3）。挑発的に映るタイトルですよね。

**篠原**　原題は「Thank Virus for Symbiosis」ですね。確かにウイルスに対して感謝しているわけですが、問題は「for Symbiosis」をどう捉えるか。「symbiosis」は「共生」ですが、僕が訳出する前に、どこかの媒体で「ウイルスと共生できていることを感謝しましょう」という主張として紹介されていましたけれど、そう要約してしまうのはミスリーディングです。実際は、人間がノンヒューマンなものと共生していることのリアリティを、ウイルスを通じて知ることができた、ということなんです。

たとえば僕は京都に住んでいるんですが、今は車や人がいなくなってしまったので、本来なら鴨川にいるような鳥、シラサギのような大きな鳥までが、川から離れたところにある岡崎地

註3　4月21日に篠原訳で、講談社選書メチエのフェイスブック・アカウントに掲載。

区のロームシアターの辺りまで来ています。あるいは、アメリカのコロラドでは、マウンテンライオンが街中へ出てきました。普段は銃撃して追い払っていたのが、街がスカスカになり、銃撃する人間がいなくなったことで、街まで出てきた。もちろん彼らはずっと存在していたわけです。人間と人間じゃない存在は、相互連関的に共存してきた。けれども普段はそのリアリティが見過ごされていた。

共存していることを忘れていたのは人間の側だけで、自然をどんどん作り変えた結果、そのしっぺ返しが来ている。今回のウイルスも、共存していることのリアリティを忘れていたことの報いだと思うんです。人間がノンヒューマンなものと共生しているというリアリティを、ウイルスを通じて知ることができた、ウイルスが気づかせてくれた、ということですね。

――モートンは同じテクストで、「生き延びること」と「生きていること」を区別しています。どういう違いがあるのでしょう？

**篠原**　原文では「survive」と「being alive」と書き分けられています。難しいところもあるのですが、僕の解釈では、たとえば各地でトイレットペーパーの買い占めが起こりましたが、それは排泄の不安があるからだし、マスクやハンドソープの買い占めにしても、生命体として自分を存続させていくことを優先したいという思いの反映です。「自分だけ生存できればいい」というのが「サヴァイヴ」です。といっても、排泄したりご飯を食べたりするという「ただの生（bare life）」のところでの生き延びというのは、とてもプリミティブです。そこだけで人間を生かすというロジックのもとでは文化が軽視されるでしょう。

これに対し「ビーイング・アライヴ」は、他者と共存している状況そのものを大切にしようという発想です。自分を取り巻く場そのものを生かしていく。その場に関わる様々な人が生きていけるようにすることです。「サヴァイヴ」には、自分が存在している場そのものへの気遣いやケアが欠落している。この考えは２０１８年に出た『Being Ecological』という本で詳しく展開されています。モートンの思想の根底には、「場」への意識があります。『Ecology Without Nature』という本のなかでも「私がいる場を生きた状態にする、そのことによって様々な人が生きていける」と言っています。それは他の生の存在に感覚的なところで鋭敏になることです。

——モートンは同エッセイで資本主義についても触れていましたが、そこで「ショック・ドクトリンについて語るのは控えよう」とも書いています。これはナオミ・クラインに対する批判なのでしょうか？

**篠原**　批判かどうかまではわからないですが、ただそういう資本主義批判のような議論が表立って出てくると、共生的な場についての思考が素通りされてしまいかねない、ということではないでしょうか。もちろん資本主義も人間社会の問題ではあるのですが、そこに焦点を当てると、「ノンヒューマンな領域に対して影響を与えたことの因果応報」という曖昧な側面が素通りされてしまいます。

——なるほど。ちなみに、今回の事態に対して、モートン以外で興味深い議論を展開していると思う方はいますか？

**篠原**　SF作家のキム・スタンリー・ロビンソンの「The Coronavirus Is Rewriting Our Imaginations」というエッセイは面白かった。『ニューヨーカー』に掲載されています。そこで彼はこう述べています。この間起きた変化は、ロックダウンといった現象よりも抽象的で内的

殺伐としたなかにとらわれていた時には見えなかったことが見えた。親切さ、気遣い、自分の心身を大切にすること、健康であること。それを、生き延びの論理にとらわれることなく考える。

なものではないのか、と。「それは物事を見るやり方の変化であり、それはまだ続いている。ウイルスは私たちの想像力を書き換えつつある。不可能なものと感じられてきたことが、思考可能になった。歴史における私たちの場所についての異なる感覚を獲得しつつある。私たちは、新しい世界、新しい時代に入りつつあるのを知っている。私たちは、新しい感覚の構造に入り込む道を学んでいるようだ」。コロナウイルス発生以前に維持されていた思考枠やそれにもとづく政治的・社会的議論の空疎化は今後もさらに進むでしょうが、それでも、新しい感覚の構造の存在に私たちは気づきつつある。そこから哲学や思想のあり方も根本的に変わるのではないでしょうか。モートンたちが始めていた新しいエコロジーに時代がやっと追いついてきた。

――最後に、この八方塞がりにもみえる状況下で、ポジティブなことを見出すとしたら、それは何ですか？

**篠原**　学会やシンポジウムが中止になり、移動することもなくなりました。動かずにじっくり考えることが増えました。人新世的状況を生きていることについて、じっくり考えることができました。さらに、幸運にも、子供をはじめ、家族とゆっくり過ごすことができました。コロナウイルス発生以前の狂騒状態が一時停止した。近所の岡崎公園も過剰な観光客の狂騒から解放され、静謐の時空が訪れた。この時空間はとても貴重だったのではないかと思います。モートンの友人でもあるアイスランドのアーティストのオラファー・エリアソンも似たようなことを言っています。彼はキュレイターの長谷川祐子さんとウェブメディアで対談（註4）していますが、モートン、ブルーノ・ラトゥール（註5）、ダナ・ハラウェイ（註6）の本をじっくり読んだと述べています。長谷川さんがモートンのエッセイのことをどう思うか尋ねているのですが、彼も、モートンのいう「シンビオシス」の概念に反応していました。ただ、彼は親切さを大切

註4　「対談：オラファー・エリアソン×長谷川祐子　展覧会スタートを待ちながら、いまアートにできることを考えよう」Pen, online, 2020年5月14日。

註5　フランスの人類学者／社会学者。「アクターネットワーク理論」で知られる。訳書に『虚構の「近代」』（新評論）、『社会的なものを組み直す』（法政大学出版局）など。

註6　アメリカの科学史家／フェミニズム思想家。「サイボーグ宣言」で知られる。訳書に『猿と女とサイボーグ』『犬と人が出会うとき』（青土社）、『伴侶種宣言』（以文社）など。

にしたいと言っている。現在、医療従事者たちの頑張りと、それを応援する雰囲気が高まってきて、親切さ（kindness）の高まりを感じると言っています。コロナ禍が発生する前は殺伐としたものがあったけれど、それをみんなが乗り越えようとしているのは新しいことだと言っています。そこには何かポジティブなものがあるんじゃないかと僕も思います。それはつまり、殺伐としたなかにとらわれていた時には見えなかったことが見えたということです。親切さ、気遣い、自分の心身を大切にすること、健康であること。それを、生き延びの論理にとらわれることなく考える。コロナウイルスのおかげでそれが可能になった。今後来たるべきさらなるパンデミック、気候危機にそなえ、心身を休めることができた。

　そしてエリアソンは、これまで光や氷、水など、自然のエレメントとの接点を作品にしてきました。そういうマテリアルを使用するには、いわゆる理系的なものが必要になります。つまり、彼はサイエンスとアートの融合を図ってきたわけです。そのように、今後学問も自然科学的なものとアート的なもの、文化的なものとが協同して考えていかなくてはならない状況になった。そこを理詰めでしっかり考えていかないと、また似たことが発生した時に思考停止し動けなくなってしまう。今回のパンデミックは新しい事態にふさわしい思考と感覚の実験を行なうための良い端緒になったのではないでしょうか。

（取材：編集部、4月30日）

# ダニエル・ミラー

インタヴュー

## 多くは壊滅的な打撃を被っている

### 音楽産業とりわけインディ・シーンの将来について

Daniel Miller (29 April 2020)

COVID-19は、とりわけ音楽シーンに大きなダメージを与えている。ライヴやフェスティヴァルが数ヶ月後には開催できるとは、今の状況を見ると考えづらい。産業としての音楽はこの苦難をどう乗り越えることができるのだろうか。１９７０年代末からＵＫのインディ・シーンの当事者としてレーベル〈MUTE〉を運営しているダニエル・ミラーに話を訊いた。

ダニエル・ミラー
(Daniel Miller)
１９５１年生まれ。１９７８年にインディ・レーベル〈MUTE〉を設立。デペッシュ・モードをはじめ、イレイジャー、ニック・ケイヴといった先鋭的なアーティストの作品を積極的にリリース。近年ではニュー・オーダーの作品も出しつつ、ドイツのロック・バンド、ＣＡＮの再発なども手がけている。

――新型コロナは音楽産業に大きなダメージを与えていますが、現状をどのように分析していますか？

**ダニエル**　これまでのところ音楽セクターの多くは壊滅的な打撃を被っているし、とりわけライヴ・ミュージック業界およびＤＪたちだね。ライヴで演奏したりＤＪすることで生計を立てている人たちだから、彼らへの打撃は特に甚大だ。それに、レコード会社だってもちろん――まあ、とてもじゃないが「上々」のシチュエーションとは言えないものの、それでも我々はまだ救われているというのかな、少なくとも業務は続けていけるわけだから。レコードはリリースし続けている。で、もちろん、最大の問題はレコード店閉店の状況だね。それでも、レコード店の多くは素晴らしいオンライン・ショップを構えているし、それらのサーヴィスはこの状況でもっと健闘していい。けれども、ウイルスは人々に様々な影響を広い意味で及ぼしていると思う。アーティストやクリエイティヴ産業で働いている者たちは、彼らの暮らす家の生活状況次第だからね。というわけで、とにかく実に多くのファクターを考慮に入れなくてはならないと思う。

――おっしゃったように、現在ライヴ事業、ＤＪやクラブは破壊的なダメージを受けていると思います。再開できる日まで、ＵＫの当事者たちはどのようにサヴァイヴしていくのでしょうか？

**ダニエル**　それは答えられない……すまないが正直、それはわたしには答えられない質問だな。というのも、ひとつに、わたしはライヴ事業にはほとんど携わっていないというのがあるし――ただ、彼らにとっては非常に困難になっていくだろうとは思う。でも、そうではないもっと小規模なフェス、あるいは小さなライヴ会場は、今後さらにトラブルに見舞われることにな

たとえばクラブが一軒閉鎖しただけで、多くの人間に影響が出る。ＤＪやクラブ店主はもちろんのこと、エージェントに……それこそ、クラブの床を毎朝清掃してくれる人たちまでね。クラブの音響設備／機材等を管理してくれている連中だっているし、そう、影響は実は、深く及んでいるんだよ。

るんじゃないかな？　わたしにも、ＤＪをやる際にあれこれ仕切ってくれるエージェントがいるけれども、彼女はもっか何も仕事がなくてね（苦笑）。求職中だし、本当に大変だ。だから業界全体に影響が広がっている。たとえばクラブが一軒閉鎖しただけで、多くの人間に影響が出る。ＤＪやクラブ店主はもちろんのこと、エージェントに……それこそ、クラブの床を毎朝清掃してくれる人たちまでね（苦笑）。クラブの音響設備／機材等を管理してくれている連中だっているし、そう、影響は実は、深く及んでいるんだよ。表面的なところだけ見れば、それほどではないと思うかもしれない。だがよく考えれば、その影響のもたらす結果は、誰もがすぐ「それ」と気づくレヴェル以上に、広い層に及んでいる。

――日本ではクラウド・ファンディングが盛んで、全国のクラブやヴェニューが寄付を募ったり、あるいは署名運動して政府からお金を引っぱり出そうとしていますが、ＵＫの当事者たちは自分たちの存続に対してどのように行動しているのでしょうか？

**ダニエル**　もちろん、各種のロビー活動がおこなわれている。それにライヴ・ヴェニューにしても、今回の危機で被害を受けている他の様々な英企業と同様、経済面でのなんらかのサポートは政府から受けている（註1）。ただ、充分な援助とは思わないし、援助申請もやりにくくて、そこはＵＫにおいては大きなネックになっている。この電話取材をわたしはベルリンから受けているところだが、そこはこちらベルリンの状況とはかなり違ってね。

――ドイツとイギリスでは、どこが違うのでしょう？

**ダニエル**　ロックダウンの始まった翌日から、ドイツではアクセスしやすい、アーティスト向けの基金が作り出されたはずだ。５０００ユーロがもらえる。どのアーティストもその基金に申

註1　ＵＫではＭＶＴ（The Music Venue Trust）による#saveourvenuesが全国のライヴ会場（とりわけインディペンデントな会場）を支援すべく活動。ドネーションは5月初旬の時点で100万ポンド（約1億4千万円）に達しているが、これは、アマゾン・ミュージック、ベガーズ・グループ、ソニー、キリマンジャロ・ライヴ、ＤＨＰなどといった企業からの寄付、および現ロンドン市長サディク・カーンらの協力が大きい。

請できるし、申請した2、3日後には5000ユーロを受け取れる。で、その「アーティスト」のレヴェルはまちまちなんだろうね。一部はすでに成功していて軌道に乗っているだろうし、なかにはまだ悪戦苦闘中のアーティストもいる、と。だから、来年確定申告をやる時期になったら、この時期に収入が多かった人間は税金の形で返済するんだろうし、それが無理だった連中は返済しなくていい、そういうシステムになっているんだと思う。それにアーティスト個人だけではなく、こちらではビジネスに対する援助も早かったね。ロックダウンから数日で補助がおこなわれたし……問題を解決できるほどの多額な援助ではないにせよ、わたしからすれば、イギリスの状況と較べたらはるかに、はるかに健康的で、ベターなリアクションだと思う。ただしわたしはドイツでビジネスをやっていないし、これは当事者としての発言ではないよ。自分の知る限り、話を聞いてきた人々の言葉によればそういう状況だ、と。だから、少なくとも危機の初期段階でのリアクションはそこそこよかったわけだ。ただ、この状況が長期的に続いていったら今後どうなるかはわたしにもわからない。諸ビジネスは、ここ（ベルリン）では今まさに再開しつつあってね。もっとも、ごく個人的な意見として言わせてもらえば、この段階で再開するのはかなり危険じゃないか？　と感じるけれども。

——ドイツは早いうちにカルチャーの価値を認識していたように思えます。

**ダニエル**　ドイツでは、連邦制で物事が動いているからじゃないかな。だから、個々の州にある程度までの統治権が許されているし、ことベルリン州に関して言えば、言うまでもなく非常に文化的な都市だし、実に多くをカルチャーに負っている。とても多くアーティストが暮らす都市であり、優れたアーティストが——音楽に限らず、あらゆる類いの芸術家たちがたくさんいる。ギャラリーやヴェニューもひしめいているし、これまでのところベルリンは、ベルリンという都市のサヴァイヴァルのためにカルチャー産業が重要な鍵を握っていることを把握しているんだね。もっとも、これはベルリンに限った話で、それ以外のドイツ他州の状況はわたしには分からないけれども。

――あなたは早い時期に休業しているレコード店を応援するために、オンラインストアで買うように呼びかけていましたが――

**ダニエル**　あれは、我々の流通を担当してくれているPIASが「#LoveRecordStores」というキャンペーンを始めてね。もちろん我々も大々的に応援したし、アーティストもたくさん参加し、ヴィデオ・メッセージ等を寄せてくれた。

――ええ。で、そういう前向きな意識の切り替えは大切だと思いました。今できないことを嘆いているよりも、今できることは何かを考えていくことと言いますか、ほかにどんなことがあると思いますか?

**ダニエル**　まあ、とにかくレコードを買い続けてもらうことだね。とりわけ、自分の近所のローカルなレコード・ショップがオンライン・サーヴィスをやっているか調べて、アマゾンといった大手ではなくできるだけ彼らから買ってあげること。アマゾンは充分うまくやっているから、我々のサポートを必要としていないよ（苦笑）。でも、小さな、ローカルでインディペンデントなレコード店は本当に応援を求めているし……もちろん欲求不満はたまる。レコード屋に出かけて、店内を回遊して実際にレコードを漁るのはいつだって最高に楽しいから。今の我々にそれはやれない。それでもレコード店は経営を続け、オーダーをかけてくれているし、だから、それがわたしのいちばんの懸念みたいなものだね。それに、アーティストがライヴ・ストリー

このコロナ危機がいい意味で何かを果たしてくれるとしたら、それはきっと、「これまでとは違う方法で物事に対処していく」、そこを探るのを我々に強いたことじゃないかな?

ミングをペイトリオン（Patreon）等を通じて開催したら、できればそれもサポートしてあげて欲しい。

――レーベルのあり方も変わると思いますか？「新たなノーマル」に適応しなくてはならないと思いますか？

**ダニエル** 過去数年、いわゆる「ノーマルな」レコード・レーベルのビジネス・モデルなんてものは存在しなかったわけで……。うん、常に変化している。ただ、このコロナ危機がいい意味で何かを果たしてくれるとしたら、それはきっと、「これまでとは違う方法で物事に対処していく」、そこを探るのを我々に強いたことじゃないかな？それは当然だよね。それは、ポジティヴなことだと思っている。たとえば家からのリモート・ワークだとか……いや、人によってはそれをやるのが大変だ、というケースもあるとは思う。ただ、これまでのところ、それでなんとかなっている。ロンドンは大都市で、そこで働いている人々のなかには家から勤務先に何時間もかけて通勤せざるを得ない者もいる。でも、わたしの考えで言えば、今回の経験を踏まえて、週5日のうち2日は自宅勤務でいいんじゃないか？と。まあ、なんとも言えないね。これはあくまで個人的な意見だし、人々の対応を見ながら、この状況が最終的にどうなっていくかを見届け、人々がどの状況にどう感じるかを考える必要はある。ただ、リリース方法に対する我々の考え方やアーティストのクリエイティヴィティの面で確実に変化が起きているのは見て取れるし、人々が旧来通りの「ノーマル」に戻るか否かはわたしにはわからないとはいえ、レーベルをやっている側として、我々はこうして続いてきた／続いている状況から学んだすべてを検討し参考にしているし、そこから得たポジティヴな教訓を掬い上げ、今後のビジネス・

モデルに組み入れていくだろう。それは間違いない。

――コロナ騒ぎが終わったら、元の世界に戻ると思いますか？　それとも、新しい世界がはじまると思いますか？

**ダニエル**……それは、答えるのは難しい。一部の人間は（コロナが過ぎたら）ほぼこれまでの状態に戻るだろうし、そういう連中はいずれにせよ、すでに旧来の状態に戻ろうとしているんじゃない（苦笑）？　けれども、そうではない大多数の人間、家族を養い家賃を払うためにあくせく働かなくてはならない人々は、もしかしたら今回の状況を経て、社会の中にあるいくつかの側面をもっとポジティヴに眺めるようになるかもしれない。たとえば、NHSやケア・ワーカーといった、ある意味過去10年ほど忘れられてきた人々のことをね。彼らに本当にいい意味でスポットライトが当てられ話題になってきたし、それ以外のキー・ワーカー（註2）、普段あまり必要不可欠とは考えられていないバス運転手や食品輸送業のトラック運転手、食品販売業の従業員、農家といった面々がいるおかげで、我々は機能し続けられている。だから、今後彼らに対して違う見方が、願わくはより平等主義な見方が生まれるんじゃないかな。

　でも、ほとんどの人々は「従来のノーマル」に戻っていかざるを得ないと思うよ、実際。というのも、彼らの知っている生き残りの術がそれだから。世界に対する見方や、いくつかの物事に対する姿勢は変化するかもしれない。でも、社会全般という意味ではどうかな？　それでも、一部の人間には、未来に対する考え方や仕事のやり方、自分の人生をこれからどう過ごすかについてドラスティックで大きな変化が起こるだろうね。

（質問：編集部／通訳：坂本麻里子／協力：Traffic Inc.／4月29日取材）

註2　「エッセンシャル・ワーカー」と同義の「必須労働者」。

BUDGET CARPETS
Ali
GREEN GROCERY
020 7639 3100
BE KIND.
LET'S
LOOK OUT
FOR ONE
ANOTHER.
COMMUNITY IS KINDNESS.

Photo by Mariko Sakamoto

# ブライアン・イーノ

インタヴュー

Brian Eno (6 May 2020)

## 利益の出ないモノをいかに大切にすることができるか

### 再解釈される文化とアート

ウイルスを契機に、我々は本当に多くのことを見直さなくてはならない——文化についてもそうだ。アートとは我々の生活のなかになければならない生態系の一部である。すべての文化が儲かるものばかりで支配されたとしたら、それはアートを殺すことになるだろう。ウイルスから我々は何を学ぶことができるのだろうか。アンビエント・ミュージックの提唱者に話を訊いた。

## 今は貴重な時期

――もうすぐお誕生日ですね。

イーノ　うん、その通りだ（笑）。

――あきらかに私たちは今歴史に立ち会っているわけで、こんな時期に誕生日を迎えるとは、いったいどんな気持ちで、どんな風に日々を過ごしているのでしょうか？

イーノ　まあ……実は、ひとりで過ごすのは好きでね。だから、その意味では今の状況はわたしにはそれほど苦にならないんだ。それに自分の誕生日にしても……。ああ、それにクリスマスもだけれども、できれば自分ひとりで過ごせる方が嬉しい。誕生日というのは、「さて、これからの1年、自分は何をやろう？」と考えるのにいい機会だといつも思ってきたから。とは言っても、もちろん、そうやって考えてみたあれこれをその通りに実践することはまずないんだが（笑）。でも、時間潰しよりも、その逆のことを、時間を活かそうとしているけどね。歳をとるにつれて、持ち時間はあまり残っていないと悟るものだし（苦笑）、「フム、自分ももうちょっと時間の使い方に気をつけないと」と考え始めるっていう。

　というわけで、わたしは滅多に寂しくならないたちでね、だから、実は今のこの時期、コロナウイルスの時というのは、本当に貴重な時期だと思っていて。もちろん、自分自身がコロナに感染したり、あるいは知り合いにコロナ感染者がいたとしたら悲惨な時期だよ。だが、わたしのようにとりあえず今のところは大丈夫な人間からすれば、この――なんというか、世界が突然平坦な横ばい状況に入ったというか、突如として一時停止状態に、何もかもいったんストップした時期を持てるというのは貴重でね。で、本当に思うんだよ、人々もこの状況を気に入っているんじゃないか？　と。

だから、物事を見直すチャンス、我々がやっているのは本当はどんなことなのか、その価値は何だろう？　と考え直す機会として。ほら、少し前に発表された世論調査があるよね？　イギリスで、つい最近発表された、かなり大規模な世論調査があるんだけれども、その質問のひとつは「我々は今、ロックダウンを解除して仕事に復帰するべきでしょうか？」で。回答者の大多数は、「いいや。まだロックダウンを続けるべきだ」と答えた（註1）。とても興味深いことだよ。これは多くの人間が、ある種の価値観、ある意味忘れてしまっていた価値観に再び結びつきを感じているからなんじゃないだろうか。

たとえばわたし自身を例にとっても、予定表はびっちりと詰まっていたんだよ。この先何ヶ月間も、「これからやらなければならないこと」が毎日書き込んであった。ところが急に、そのすべてがキャンセルになったわけだ。でも、「仕方ない、まあいいさ！」と感じただけでね。おかげで「自分がやろうとしていたことって何だったんだ？　なぜこういうあれこれをやろうとしていたんだ？」と考えることになった。だから、それらの予定が一瞬にして消え去っても、自分にはあまり影響がなかったんだ。自分は何を……というか、なんでまたあの罠、「本当に忙しい、やることが山ほどあるぞ」と思い込む罠に陥ってしまったのやら？　と。

そんなわけで過去6週間というもの、わたしのやってきたことと言えば……今住んでいる場所（註2）にある川、その川沿いをあちこち散策したり、鳥のさえずりを録音したり、そこらで

註1　4月末から5月にかけて発表された意識調査によれば英国民の大半はロックダウン継続を望んでおり、他国の回答と較べ経済／ビジネス再開に対しても不安感が強いことが明らかになっている。

註2　イギリスで3月末にロックダウンが始まって以来、イーノはロンドンではなくノーフォークの村で暮らしてきた。

出くわす野生動物を眺めたり（苦笑）。それになんといっても、こちらは本当に静かでのどかでね。飛行機も飛んでいないし、交通量も少ない。だから、わたしにとってこれは本当に、活気を取り戻す時期になっているんだ。

## 人類同士で闘うな、ウイルスと闘うべきだ

――ヤニスとの対談は今日の取材の約1ヶ月前に収録されましたが、あれからさらに考えたことは？

**イーノ**　これによって本当に近づいて来るものは、生物学の時代なんじゃないかな。今後、我々が直面する最大の問題、対処しなくてはならない問題は生物学になると思う。というのも今は、生物学、遺伝子学、ゲノム編集技術といった分野で、実に色々と興味深いことが起きている時期でね。非常に活発だし、わたしとしては、今論じるべきトピックはそこだと思っている。それに、この分野で、生物学的システムとその働きを考察しつつ活動している、非常に興味深いアーティストも何人かいてね。中には具象芸術的にそれをやっている者もいるし、たとえば……アレグザンドラ・デイジー・ギンズバーグ（註3）というアーティストは知っているかい？

　たしかアメリカ人のはずだ、と思う。知り合いではないから断言はできないが。で、彼女は、「火星を植民地化したらどういうことになるか」といったシミュレーションをやっていてね。ただし、人間が入植するのではなく、植物を火星に移したらどうなるか？を。仮に火星に植物有機体を送り込めるとして、それによって火星に独自の生命体を育て始めてもらおう、と（笑）。

註3　合成生物学を基盤に作品を作っているアーティスト。

彼女は非常に素敵な映像作品を作ってね。たしか彼女自身も生物学者、あるいは植物学者なんだと思う。でまあ、彼女はそれをやってみたらどうなるか、どんな風に有機体／微生物が発展していくかという、とてもいいシミュレーションをクリエイトして映像作品にまとめたんだ。というわけで、我々の生物学的な未来を考える方法としてそれがひとつある。もうひとつは、わたしや友人のピーター・チルヴァーズ（註4）のように、生物の進化原理を用いてアートを作ることであって。我々ふたりは自動生成音楽や自動生成システムを作ってきたわけだが、そこで生物学で使われる一種のアルゴリズムを用いていてね。だから、我々は生命体を育てている、とも言える。要するに、実際に成長していく生命体としてのアート、静止し、完成した作品ではなく、常に成長を続けていくものを。で、これが我々の未来だ、そう思っている。人類のおこなう活動のあらゆる面にそれを延長していくべきだろう、そう感じている。たとえば、なぜ我々はいまだに何兆ドルもの額を武器購入なんぞに費やしているんだろう？　わたしからすれば、それは見当違いな敵相手との闘いだよ。我々は人類同士で闘っていたくなんかはない。そうではなく、ウイルスと闘っているべきだ。

――なるほど、確かに。

**イーノ**　現在、防御のためにすさまじい労力と金額が注ぎ込まれているものの、そもそも敵が間違っている、と。そこは問題だな。我々は確かに防御システムを必要としているけれども、それは狂ったバイオロジーに対する防御システムであって。過去数週間にわたって我々の経験してきたような、バイオロジーの暴走に対しての。

――けれども、ドナルド・トランプのようにウイルスは武漢の研究所から発生したというコンスピラ

註4　ミュージシャン／ソフトウェア・デザイナー。iPhone向けアプリ「Bloom」他でイーノとコラボレートしてきた。

シーを使って中国を敵に仕立てようとする者もいます。今おっしゃった通り、ウイルスは人類を消滅させる可能性すらある恐ろしい敵です。しかしトランプのような人間たちが権力の座にある限り、国あるいは人種間でいがみ合い、互いを非難し合い、敵対が続く。

**イーノ**　ああ、実にひどい話だ。あれは完全に機能不全に陥った、腐敗したシステムのしるしだよ、ドナルド・トランプのような人間がトップに立てるってことは。そう言えば、非常に興味深い本があってね。何年か前に出版された本で、機会があればこれは読むようにと皆に薦めているんだけれども――というのも、ある意味20世紀でもっとも重要な本じゃないかと思っているから（笑）。『Defying Hitler: A Memoir』という本で、著者はセバスチャン・ハフナー（註5）。１９０６年あたりに生まれた人で、ヒトラーがドイツで権力を掌握しつつあった頃、大学生だった。彼は、実に知的で落ち着いた社会がファシズムに傾倒していく、その過程を描いていてね。あれを読めば、「なんてこった、こんなに簡単にああなってしまうのか！」と思うはずだ。民主主義と議会政治システム、コンセンサスや法による統治等々は人類にとっての自然な有り様だ、我々は得てしてそう考えがちだ。ところが、実はそうではないんだ（苦笑）。自然にそうなる状態ではないから、常に目を光らせて監視し、維持し守っていく必要がある。それらを生み出した過程、および諸制度は、とても大事に面倒をみなくてはならない。で、我々はその世話をほったらかしにしていたんだね。レーガンとサッチャー以来、我々は「別に面倒なんかみなくたっていいさ」というフリをしてきたし、決定はすべて市場原理に任せておけば、自ずと何もかも解決していくだろう、と。ところが、そうではなかったんだね。今や、我々はその結果を目の当たりにさせられている。それは何もトランプに限った話ではなく、ジェフ・ベイゾ

註5　ドイツのジャーナリスト。邦訳『ヒトラーとは何か』（草思社）。

註6　アメリカの実業家。アマゾンの創設者。日本では「ベゾス」とも表記。

ス（註6）なんかも同様だ。
だから、放っておくとどうなるか、ということ。リバタリアン経済学の中心的な理論、レーガンとサッチャーのかつて語っていたような経済学のことだけれども、あの中核にあるセオリーは「富は下に向かってしたたり落ちていくものである」でね。ゆえに、スーパー・リッチな人間が増えるのは大いに結構、なぜなら彼らの生み出した富はいずれ他の人々の懐に流れていくからである、と。ところが、そんな状況がまったく起きていないのは、今の我々には見えている。富は、逆に上に向かって吸い上げられているわけ。

## 文化とは「コモンズ（共有権）」である

――パンデミックは、政治経済ばかりでなく、文化にも、その形態から内容にいたるまで、きわめて両義的な意味で大きな影響を与えると思われます。ネガティヴな影響でまず挙げられるのは、たとえば音楽の小さなインディ・シーンは経済的に困窮して、瀬戸際にいるということがあると思います。例外的にドイツは政府が援助を差し伸べているようですが、多くの国のシーンでは経済的な弱者が厳しい境遇にいると思われます。そうした、経済的な体力のないインディ系のアーティストたち――たとえば、まだ若く、UberやDeliverooといった補償のない仕事で生計を立てながら音楽を作っているかもしれませんが、彼らは音楽やカルチャーの未来です――は、この事態にどのように立ち向かえばいいと思いますか？

**イーノ**　だから……我々は本当に多くのことを見直さなくてはならない、そういうことなんだろうね。たとえば、レーガンやサッチャーといった手合いのリバタリアン連中が論議したことのひとつに、税制がある。彼らは税金に反対でね、というのも基本的に彼らは政府という存在そのものに反対の姿勢だから。彼らからすれば、正直言って、政府とは外敵からの自衛／防御の目的以外には不必要な邪魔者である、と。

でも、さっきも話したように、我々にももうわかっているわけだよね。だから、資本主義はそもそも構造上、「富める者はますます富む」という仕組みになっている、と。ある意味、それは不可避でね。ただ、税制は必要なんだよ。そういう富める者の富からいくらかでも頂戴し、政府の諸システムを動かし続けるために。で、アマゾンのような企業は、営業している国の多くで（充分な額の）税金を支払っていない。ところが、税金は払わなくても、彼らはその国々にある諸設備や資源は利用している。各国の医療システムに警察、それこそ道路といった各種インフラまでね。ということは、税的な貢献なしでアマゾンが使うために、それらの設備をその国の市民が費用を負担し維持している、ということになる。それはストップしたいし、というか、こうした各種インフラを「コモンズ（commons）」と見なし始めなくてはならないんじゃないか？　と。コモンズは、知っているかな？　この言葉の英語での使い方には「共有権」という意味があって、皆でシェアする、価値のつけられない共同資産ということ。たとえばそれこそ、我々の吸っている空気だったり（笑）、川が「コモンズ」になり得るように。

でも、わたしとしては、我々は文化のことも、こうした「コモンズ」として考え始めなくてはならないんじゃないかと思う。皆で維持し守っていくものとして。様々な研究リサーチがそうであるように、いわゆる利潤追求型のやり方では文化を維持できないだろう、その点は認識していかなくてはならないね。だから、各種研究のなかには大きな利益を生む製品を作り出す

様々な研究リサーチがそうであるように、いわゆる利潤追求型のやり方では文化を維持できないだろう、その点は認識していかなくてはならないね。

ためのものもあって、それはそれでもちろん結構なことだ。テクノロジー系のリサーチにはそういうものが多い。ただ、なかには——これは「Blue Sky Research」（註7）と呼ばれるけれども——純粋に、何かを見つけ出すことを目的としておこなわれる研究もあってね。見つけたものがなんの役に立つかわからないままリサーチする、という。数学ではそうした研究が多い。で、「いくらやっても利益に結びつかないからブルー・スカイ型のリサーチは一切なし」ということになったら、サイエンスそのものを殺すことになるだろう。

同様に、仮にアートにおいても「儲かる作品しかやらない」ということになったら、それはアートの息の根を止めてしまう。というのも、カルチャーはエコロジー、ひとつの生態系であって、生態系の中にはありとあらゆるものが存在するわけだよね。その中にはちっぽけでとるに足らない、しかし実は大きな違いをもたらしているものだってある。たとえば微生物だとか。対して、いわゆる食物連鎖の頂点にはライオンやトラといった捕食者がいるわけだが、下っ端もトップもその中間にいる存在も、すべて互いを必要としている。だから、「いや、自分の欲しいのはライオンとトラだけです」というわけにはいかないんだよ。

——なるほど。

**イーノ**（笑）。「興味を持つ人間が少ないから、それ以外のあれこれは何もいらない」とは言えないっていう。植物や微生物がいないとライオンもトラも存在できないし、トップ以外のすべても必要だ、と。そんなわけで、我々は本当に自分たちの生活のすべての側面を考えなくてはならないんだと思う。繰り返しになるけれども、ある種生物学的な観点から。我々だって生態系の一部だし、だからこそ、そのエコシステム全体の維持に努める必要がある。気に入ったも

註7 「ブルー・スカイ・シンキング＝既成概念にとらわれない独創的な考え方」にちなむ。

のを少しだけつまみ食いし、残りは無視するわけにはいかない。それだって全体の一部なんだからね。

## 支配する能力と降伏する能力

──パンデミックによって、人々は「集まること」「出会って話すこと」により有り難みを感じていると同時にアートにも飢えていると思います。ライヴやクラブの有り難みも感じているでしょう。その反面、今人々は一生懸命にオンラインでの会話や日常に慣れようともしています。それはある意味では前向きな態度ですが、他方では、オンラインでの生活やヴァーチャルな在り方に慣れてしまうことで失うものもあるとは思いませんか？　このジレンマをどう思いますか。

イーノ　思うにそれは……食生活の幅が狭過ぎるとどうなるか、というのにちょっと近いんじゃないかな？　たとえば加工食品ばかり食べている人間がいるとしよう。味だって問題ないし、おそらく加工食品だけ食べていたってかなり長生きできるだろう。プロセス・チーズだとか、それこそ日本でよく見かける、カラフルで賑やかなプラスティックの包装に包まれた（笑）、そういう食品オンリーの食生活でも。

──（笑）。

イーノ　で、それをやるのはしばらくの間だったら問題がなさそうだけれども、実はあの手の食品はあまり栄養価が高くないんだ（苦笑）。で、人間同士のインタラクションで大事だとわたしが思っているのは、それが様々な面で養分に富んでいるところでね。単に会話を交わすだけ

仮にアートにおいても「儲かる作品しかやらない」ということになったら、それはアートの息の根を止めてしまう。というのも、エコロジー、カルチャーは、ひとつの生態系であって、生態系の中にはありとあらゆるものが存在するわけだよね。

ではなく、実際に誰かと同じ空間を共にすると、そばにいる人間から色んな類いの信号を受け取ることになる。触知できるシグナル、身振り手振り、様々なニュアンスといった具合に。で、わたしは別にZOOM他に反対なわけではないし、自分自身ではあまり使わないだけでね。けれどもまあ、要は幅広い食品をとる、ということじゃないかな？　だから、我々が精神面で受け取るインプットというのは、ある意味食餌なんだ。それに頼って我々は生きているし、それを元に我々は自分たちを作り上げている。食べることで、自分たちの身体を作っていくようにね。というわけで重要なのは、多彩で幅広いメンタル面での食生活を心がけよう、ということ。医者がよく患者に言うよね、「偏りのない食事をし、よく選んで、色んな野菜や果物などをとるようにしてください」云々。

　で、社交面でもそれと同じことをやろう、と。だから思うよ、限られているなあ、と……。たとえば、インスタグラム等々を舞台にあれこれやっている人々がいるけれども、あの手のメディアは生身の人間を表現する意味では、あまり優秀ではなくてね。というか、何ヶ月か前に、とても悲しい光景を目にしたっけ。レストランに行ったんだ。隣のテーブルは5人連れの客で、父、母、子ども3人が座っていた。少しして――彼らはわたしよりも少し後に店に来てテーブルに着いていたんだけど、「やたら静かだな」とつい気になって、お隣の様子を見てみた。そうしたら、5人全員が、携帯とにらめっこしていてね。レストランで一緒に会食しているのに、彼らは全員、どこか別の場所にいたっていう。それぞれ、みんなどこか別の場所にいた。で、思ったね、これは我々がモダン・テクノロジーを使う際の問題だな、と。「今、ここ」にいることを我々はやめてしまったし、もう、「その場にいる」ことがなくなってしまっている。それは――いや、もちろん人類というのは、別の未来だったり、想像上の別世界に生きたらどうかを思い描くのがとても得意だよ。だから、何もそれをやるのが悪い、とまでは言わない。ただ、あのレストラン客のように「今、ここ」に対して一切注意を払わない、我々がやるのはひたすらそれだけ、という状況になってしまったら、それは問題になっていくんじゃないか？と。

　自分が思うままにコントロールするのが非常に楽だからね、その手の世界は。そこが実は問題なんだろうな。他者とじかに、現実世界で会うことのよさというのは、そこでは自分のコントロールが効かなくなる、そこじゃないかとわたしは思っていて。他人が相手だと、自分の思っていたようにことが運ばないことだってあるし、となったら相手に合わせなければならない。それをやることで、その都度何かを学ぶんだよ。だから、自分の予想を越えた状況に対処せざるを得なくなると、人間は何かを学ぶ。ほんと、学んでいく……一種の降伏、でもあるかな。だから、「この状況を自分でコントロールしようとは思わないし、それでどうなろうが心配はしない、とにかく成り行きに任せ、明け渡そう」と覚悟すること。それを本当にできるのは、すごい才能だよ（笑）。

――今私たちも毎日のように家に閉じこもっていますが、そこで音楽がずいぶん気を楽にしてくれるんですね。あなたの何枚ものアンビエント作品をここにきて繰り返し聴いているのですが――

**イーノ**　おお、そうなんだ。ありがとう。

――で、あらためて音楽の持っている効力についてうかがいます。こういう状況下で、今音楽になせる最善のことは何だと思いますか？

イーノ　まあ、それも、ついさっき我々の話していたことと関わってくると思う。だから、「自分のコントロールを放棄する」という。音楽を聴くためには、ある意味、自分自身を明け渡さなくてはならなくてね。そこで、「音楽を聴いたら、自分に何か起きるかもしれない。でも、その状況を自分でコントロールするつもりはない」と思わなくちゃならない。しばしの間、自分以外の誰か、自分以外の何かに自らのコントロールを委ねることになるぞ、と。で、それをやるのは、人類にとってすごく健康なことだとわたしは思っていて。だから、我々は二千年か、五千年か——まあ、その数え方はお任せするけれども（笑）、それくらい長い間、人類は技術面で成功を果たしてきたわけだよね？　で、技術的な成功は、様々な物事／事象を支配できる我々の能力を証明したことを意味する。道具がやるのはそういうことだし、道具があれば自然や素材のコントロールが可能になる。で、それは素晴らしいことだし、人類はそれをやるのが非常に上手い。ファンタスティックだ、と。

　ところが我々は、自分たち以外の世界に対して我々の感じる魅力はその世界を支配するのが可能かどうかにかかっている、と考えがちな思考様式も育ててしまってね。そこでわたしが主張したいのは、コントロールすることから一歩下がり、明け渡すことを理解しようじゃないか、ということで。で、実はあらゆる形態のアートの何たるかのある程度まで、それに様々な形態の宗教の何たるか、セックスの何たるかというのは——それら我々のやるのが好きなことというのは、「自分に何かが起きることを許す、何かに自らを明け渡す」ための方法なんだよ。降伏し委ねるのは、何かを学ぶことであり、自分自身の変化を許すことだ、と。

　対してコントロールする行為は、自らの力を使って他を変えることだよね。サレンダーするというのは、想像力を通じ、自らに変化が起きるのを許すことであって。で、思うに、音楽を聴く行為、というか音楽に限らずあらゆる類いのアート体験というのは、まあ、もちろん作品それぞれに特有の効果があるとはいえ、概して言えば、アートは我々にリハーサルさせてくれるものなんだよね。人類の持つこの、何かに自らを明け渡せる能力、それを練習する機会を我々に与えてくれている、と。それをやるのは、我々にとってとても、とても重要なことだと思う。なぜなら、この世には我々の手に余る制御不可能な状況がいくらでもあるから。で、手元にコントロールするツールしかなかったら、我々はその状況において負け、ということになる。そうした状況においては、我々はサレンダーすることを学ばなければならないし、その状況に上手く対応できるように自らをよりよい形へ変えていくことを学ぶ必要があるんだ。

——ただ、自分自身の性向を抑えて他の方法や考え方を受け入れるのは難しくて、なかなか苦戦してます。

イーノ　いや、というか、ほとんどの人がそう感じると思う。というのも、我々は皆、「人間の役目は支配することである」と考えるように育てられてきたからね。「我々が長けているのはそこである」と。我々が教育を受けるのも、物事をコントロールできるようになるためであって。で、少なくとも現在のイギリスにおいては、教育のなかでいわゆる「STEM教科（科学、テクノロジー、エンジニアリング、数学）」に重点が置かれていてね。で、考えてごらんよ。これらはすべて、コントロールに関する科目だよね？　何かを制御できるようにするべく、それらを理解する学問だ。先ほども話したように、わたしは別にそれが悪いとは思っていないんだ。なんといっても、我々の得意とするところだからね。けれども、わたしがしつこく言い続けているのは、サレンダーすることのアートとも関わっていかなくてはならない、ということで。イ

アートは我々にリハーサルさせてくれるものなんだよね。人類の持つこの、何かに自らを明け渡せる能力、それを練習する機会を我々に与えてくれている、と。

ギリスにおける現行の教育システムがおざなりにしていること、STEMからこぼれ落ちたものはすべて、サレンダーに関わる教科なんだ。芸術、人類学、音楽、宗教学等々。しかしこういった学問こそ、どうやって自分自身に何かが起きることを、何かが生じることを許すかを人々が学ぶ場であって（笑）。コントロールが効かなくなる状態を受け入れるにはどうすればいいかを学び、制御不能な状態から何かを学ぶ、という。だからわたしは、この発想に基づいた、まったく違う教育システムを求めるね。我々の支配する能力と降伏する能力、その双方のバランスを保たなくてはならない、というアイディアに基づいたものを。

——宗教に関しては疑問もありますが、音楽を聴くのは間違いなく、他の人間のアイディアや世界に身を委ねるのにいい方法だと思います。

**イーノ**　いや、わたしも無神論者だけれども、宗教の価値は理解し始めていてね。部分的には……だから、わたしはずっとゴスペル音楽が大好きで。

で、ゴスペルを歌っているときに歌い手たちのなかで何が起きているのかといえば、わたしが思うにそれは、彼らはその歌っている間のいっとき、一個の個人という存在であることをやめ、何か大きなものの一部になっているんじゃないか、と。そうやってとある共同体の一部になること、この非常に恍惚とした体験を他のたくさんの人間たちと同時に一緒にやるというのは、実に素晴らしいフィーリングでね。しかも、どうしてそう感じるのか、どうしてそうなるのかはやっている本人たちにもわからない、と。不思議なドラッグなんだ。けれどもあれは素晴らしいし、ゴスペルが歌われる場所に行き、合唱に実際に参加してみたらわかると思うよ、とてつもなく感動的な体験だからね、あれは。

誰もが合唱団に参加すべきだと思う。本気でそう思うよ。誰だってやれる最高なことじゃないかな。というのも、わたしもちょっとした合唱団をやっているのは知っているよね？　毎週火曜の晩に集まって歌うんだ。で、実際、このロックダウン状況下でやれなくなって、わたしが唯一恋しく感じるのはあれだね。あの合唱団は20年以上続いてきたし、ほぼ間違いなく毎週火曜の晩に集合し、歌ってきた。だからほんと、これだけ長い間我々が顔を合わせて一緒に歌わずにいるのは、初めてのことだよ。わたしとしても、正直参っている。歌うのが好きだから。

（質問：編集部／通訳：坂本麻里子／5月6日取材）

special thanks to Beatink.

Photo by Mariko Sakamoto

CULTURE

# コロナ・ローカリズム
## 瀬戸際のライヴハウスから

イアン・F・マーティン

IAN F MARTIN

イアン・F・マーティン
(Ian F. Martin)
UK生まれ、東京在住。ele-kingや『The Japan Times』などに寄稿。もっとも多く全国の日本のライヴハウスに足を運んでいるライター。著書に日本のロック／ポップ史を描いた『バンドやめようぜ！（原題：Quit Your Band!）』（Pヴァイン）。日本のインディ・ミュージックを紹介するレーベル〈Call And Response Records〉主宰。

今年の4月以降、日本のライヴ音楽シーンは周知のように停止している。もし以前と同じ形態で再開できるとして、それがいつになるのか、その時点までどのライヴハウスが生き残っているのか、とにかく予測することは不可能だ。しかし二つのことが最初から非常に明白である。

第一に、たとえライヴハウスが一時的に仕事を止めるにせよ、彼らは尚どうにかしてお金を作らなければならない。場所によってまちまちの県行政からの支援、あるいは中央政府からの補助対策ないし指示は具体化するまで時間がかかる——安倍政権に対して手厳しい者は、政府お気に入りの「自主規制」が、危機に際して適切に考えられ役立つ政策というよりむしろ、安っぽい市場取引のスローガンに政府が本能的に頼っているのだと示唆している。自主規制の間、スタッフは他の仕事を容易に見つけることができないのと同時に、ライヴハウスは賃貸料や請求書の支払いに悩まされ続ける。

第二に、ミュージシャンはステージに上がることなしに、どうやって演奏や作曲を続けるのかという問題がある。もしアコースティック派のミュージシャンだったら、彼らはギターを取り出し、部屋のなかで静かに何かを奏でることができて、それはおそらくユーチューブで配信される。もし彼らに充分な人気があれば、開催地の資金募集活動の一環として、ライヴハウスで演奏をたぶんストリーミング配信することもできる。ライヴハウスが提供するスピーカーの山、PAシステム、ドラムセットなしに音楽など考えられない多数のバンドは、仕事を止め、コロナがいったん収束して平時に戻ることに期待して危機をしのぐしかない。もしかすると少数のバンドは、演奏の対価として支払われるべきチケットの分け前で、長年彼らをペテンにかけてきたライヴハウスが破産寸前という状況を、静かに祝しているかもしれない。しかしほとんどのバンドが、ライヴハウスには仕事を続けてもらい、機能健《ヘ》全／良識《ルシー》的なままであってほしいのである（言葉の両方の意味で）。

これら二つの要因を考慮すると、ライヴハウスが閉鎖したのちの数週間で二、三の明白な影響があったと認められる。それは日本の音楽シーンのいまだ曖昧な未来への、興味深い可能性を提供するものだ。

一つの明白な影響は、音楽がいかに自らを伝達し組織するかという点で、インターネットの役割が新たな重要性を獲得したということである。個々のアーティストやシーンの種類が豊富にもかかわらず、インターネットの可能性を利用するということになると、一般に日本のバンド、レーベル、ライヴハウスは世界のその他の国に遅れをとっている（こうした用心はおそらく常に悪いものとは限らない――スポティファイのような会社は音楽シーンにほとんど益するところがないが多大な称賛を浴びていたりする）。バンドキャンプに多くのバンドが多くの音楽をアップするという素朴で基本的な行為は、以前は口コミで小さな共同体にのみ知られていた多種多様な音楽が、より幅広い潜在的聴衆に利用可能となることを意味している。それと同時に、音楽シーンがその基盤を固めるのを手助けするクラウドファンディングの努力の成果として、4月後半に出たコンピレーション・アルバムの充分な供給は、オーガナイザーやキュレーターが眩暈がするほど多様な音楽を寄せ集めることもあって、シーンを一つにまとめあげる力をもたらした。このように、音楽世界の一部が停止することは、［逆説的に］一部の音楽をより開かれた地点に押し進め、より普遍的なものとする結果となりうる。

しかしまとめあげられ、普遍的なオンライン空間に移ると同時に、より音楽がローカルになるという矛盾する傾向もまたある。

この大部分のやり口として、個々のライヴハウスが非常に多くの資金調達の取り組みの焦点となる。ライヴやトークショーのストリーミング配信、Tシャツその他の製品の販売、前向き思考あるいは単に楽観的なファンのためのドリンク・チケットなど、ライヴハウスは様々な資金調達の戦略を試みる。だがローカルな音楽シーンを、ローカルな地域に焦点を合わせた取り組みに真に向かわせるのは、コンピレーションやその他の音楽のリリースである。4月末の1週に亘って、私は気付くと以下のようなものに耳を傾けていた――西は幡ヶ谷フォレストリミット、落合soup、吉祥寺シルバーエレファントから東は小岩ブッシュバッシュまで、東京のライヴハウスに寄付を集めるための新譜を聴くと同時に、また名古屋のハックフィン、K・Dハポン、デイトリップ、千葉のANGAといったライヴハウスに資金を集めるための新譜を聴き、熊本のNAVAROにフォーカスした優れたアルバムなども聴いた。私は福岡並びに地元の高円寺のライヴハウスのための新譜づくりに個人的に関わっていたが、私の知る人々はより多くの作品に依然として取りかかっていた。あらゆるジャンルのなか、眩暈がするほど勢ぞろいしたアーティスト群のなかから、私は日本の数多くのインディペンデント・ミュージックに偶然出会うことになった。とはいえ、もし特定のライヴハウスで集中した資金調達ラッシュがなければ、私はその大部分が存在したことさえ知らなかったであろう。



こうした普遍性と超‐地域性の結合にはアイロニーがあるかもしれないが、それは危機というものの本性のなかに埋め込まれたものである。物理的境界が私たちのまわりを包囲するとき、私たちの多くは自宅から近くのお店まで歩くことさえ躊躇してしまう。国家メディアが渋谷や銀座の不気味なまでに人のいない映像を放送する一方、我らが地元のコロナ警察は怒りながら郊外の買い物通りに群がる人々の写真をツイートする――これはコロナウイルスの地理学のようなものである。同時に、私たちが文化の乳を飲むための原初の乳首と見なしているオンライン情報源、それに対して既に存在していた熱狂はもはや過熱状態となっており、おまけに私たちはZOOMで働き、社交し、パーティーすることを徐々に学んでいる。

ライヴ音楽シーンの経済基盤《インフラ》が頑張ろうともがいているとき、普遍性と地域性というこの組み合わせもまた必要とされる。インディー音楽の最大の強みはそれが築き上げ維持する親密な共同体である。これらのファン、オーガナイザー、アーティストの共同体は、彼ら自身の情報ならびに組織ネットワークを持っており、私たちが個々のライヴハウスでの資金調達において機能しているのを見るのは、こうした共同体である。また音楽サイトOtotoyの「Save Our Place」プロジェクトのようなキャンペーンのなかにこれと同様のものを見ることができる。そこではアーティストが自分好みのライヴハウスに向けた音楽販売をそのサイトを通じて行うことで、自身の音楽を役立たせることができる。

しかしながら、これで十分でないことは明らかであろう。東京エリアには何百ものクラブやライヴハウスがあり、それらは既に破産し始めている。ライヴハウスが政府の要求に耳を貸し、閉鎖する決心をしたのは、なにも彼らの友人である安倍氏への支持を表明しているからではない。それはCOVID-19ウィルスが彼らの顧客と彼ら自身の健康の両方に突きつける現実的危険を顧慮しての決定なのである。もっともネットに通暁したライヴハウス、あるいは彼らの友人のなかでも影響力あるもっとも有名なバンドがライヴハウス存続のための資金を集めてくれるならば、この状況は長続きするはずがない——ソーシャル・ディスタンスは、勤め人やビジネスの大多数《クリティカル・マス》が経済的保護の恩恵に与する場合に限って、真に機能する国家的健康戦略である。「Save Our Space」キャンペーンは結束した活動を築き上げ、音楽シーンは支援が必要だと政府に主張する試みにおいてもっとも目立っている。

音楽シーンの人々はこうした活動に冷笑気味だ——結局、国家がライヴハウスやクラブのことを気にかけるのは、いつも決まって彼らが閉鎖を望むときだからで、なぜ今自分たちを助けてくれたりなどするだろうか？——しかし可能な限り一致団結した声も上がっているのだから、政府は少なくともライヴハウスが直面している問題に気付くべきである。ほとんどのライヴハウスは2、3か月は生き残ることができようが、それ以上はよもや続くまい。政府からのある種の支援がなければ、貯金や基金は底をついてくるし、公式発表された感染者数や死者数が下がるにつれて、バンドやライヴハウスは公式の忠告も無視し、コロナ警察を否定し、思い切ってふたたびショーを催し始めるだろう。彼らのことを気にもかけない政府のために、わざわざ破産しようとする商売はないのである。

さらに未来へ目を向けてみると、この危機の与える影響は、全否定されるものではないかもしれない。ポストコロナ時代のもたらす一つの影響として、才能ある人間がより小さな町へ移住することになるかもしれない。２０１１年の東日本大震災や核の危機は、多くのミュージシャンを含む一部の人たちが東京を去り、故郷に戻るかより静かな場所へ移り住むという事態を出来《しゅったい》させた。同様に、COVID-19の余波として、人が群がる空間への不快感あるいは家族との親密さへの欲望は、きっと多くの人たちを移住させる結果となるだろう。東京や大阪のような場所は、ごくわずかのミュージシャンが都落ちしていなくなっても誰も気付きもしないほどに充分巨大だが、より小さな町や市にある新しい故郷、そこでは一人か二人の音楽家がシーンで大きな影響力を持つのであり、人々はその恩恵たるや大層なものと気付くかもしれない。そうしたアーティストと地元のつながりは、違った風に極端に分断された日本のインディーとアンダーグラウンド共同体を結び合わせることにも貢献するかもしれない。

同時に、ライヴが規制されることで増加することになったオンライン音楽配信は、確実に新たなスタンダードとして定着するだろう。地理的に特化した口コミ情報のネットワークは重要であり続けるだろうが、大規模ツアーや流行発生の中心から外れたアーティストたちは、田舎でよりその口コミを広めることができるだろう。さらに巨視的にみれば、オンライン音楽配信は、より公平な立場で海外の同時代人がその音楽に出会うことを可能とする地点にまで、日本のインディペンデント音楽シーン全体を引き上げることを助けるかもしれない。

地域的と普遍的のどちらの基準においても、最高の音楽を届けるには音楽シーンの共同体の結束の強さが不可欠である。たとえ政府に支援を求めてのキャンペーン運動が無視されようと、たとえライヴハウスやスタッフを助けるための基金が、賃貸料や請求書の山積みに直面して不毛であることが証明されようと、その種の行為はよりよいコミュニケーションや組織化を築くのに役立つ――小さな共同体あるいはローカル・エリアのなかでも、そしてより大きな、より統一的なレベルでも、両方で役立つのだ。このコロナ危機の避けがたい挫折から何かを立て直す時期が来た際に、今育まれている関係は決定的な価値を持つことになるだろう。

（訳：後藤護）

坂本麻里子
（さかもと・まりこ）
ロンドン在住。ライター、通訳、翻訳。訳書にジョン・サヴェージ『この灼けるほどの光、この太陽、そしてそれ以外の何もかも』、コージー・ファニ・トゥッティ『アート セックス ミュージック』、イアン・F・マーティン『バンドやめようぜ！――あるイギリス人のディープな現代日本ポップ・ロック界探検記』（以上Pヴァイン）など。

# ユートピアはこうして描かれる

## ブライアン・イーノからウィリアム・モリスへ

坂本麻里子

本誌掲載のDiEMTV対談翻訳および取材でブライアン・イーノの声を日本読者に伝える一助になれて僥倖だった。プロモーションの慣例になっているとはいえアーティストにとって取材は「義務」ではないので、本人にやる気がなければやらずに済む。エスタブリッシュされたアーティストほどその傾向は強くなるものだし、いつ「今後インタヴューは受けない。作品の解釈は聴き手に任せる」という事態になっても不思議はない。もっとも今回に関しては、ある作品／活動の具体的な解説がテーマではなく、コロナ状況を起点に話題が広かったゆえに取材に応じてくれた、というのは大きいだろう。彼のようにポリマスなアーティストには、さすがオブリーク（斜な／間接的な）なアクセスが色々とある。

洞察に満ちた話の数々に大いに触発されたが、なかでも「想像力を試す場としてのアート／カルチャー」、「アーティストは別の未来図を想像する素材を提供する」という長年の持説を詳しく語ってくれているのは興味深い。パンデミックの冷酷な現実の中に想像力という言葉を持ち出すと、ガル・ガドットとインスタ仲間たちの「イマジン」というか、お気楽な夢物語のように響くかもしれない。だが、「もしかしたら（what if?）」の可能性を頭の中でシミュレートし現実を違う視点から見つめることは、ピースフルな世界への希望だけではなく「何が間違っているのだろう？」の疑問や「危機が訪れたら？」の空想や警告にも繋がる。

こうしたイマジネーションの産物として、ハクスリーの『すばらしい新世界』、オーウェルの『一九八四』やディックの『高い城の男』、アトウッドの『侍女の物語』といった、かつて「科学的予言」と呼ばれたこともあるジャンル＝スペキュレイティヴ・フィクションとしてのＳＦの古典が浮かぶ。目には見えにくい脅威――それはファシズムや全体主義の台頭かもしれないし、地球温暖化かもしれないし、未知のウイルスかもしれない――を思弁し、それに対するアンテナを磨き検証し、構えと備えを強くするのは必ずしも無為な空想やパラノイアとは限らない。発表時に「歴史改変フィクション」、「パラレル・ユニヴァースの寓話的風刺」と受け止められた『高い城の男』（60年代）と『侍女の物語』（80年代）が近年テレビ・ドラマ化されヒットしたのは、二作の問題提起に時代がシンクロしたからだ。ＳＦだけではなくスリラーやホラーといった、とかく低俗でニッチと看做されがちだったいわゆるジャンル・フィクションが昔に較べテレビや映画界でメインストリーム化したのも、「今、ここ（Now/Here）」からいっとき「ここではない空想上の場所（Nowhere）」へと抜けて世界を別の目で見直すためのポータルの要請が強まっているからだろう。



ディストピアン小説ばかり例にあげてしまったのは、映画『28日後…』ばりにもぬけの殻になっていたロックダウン初期の街中の風景がまだ印象に残っている影響だろう。偶然とはいえ、各種娯楽産業が閉鎖される2ヶ月近く前に最後に映画館で観た映画『The Lighthouse』は孤島に閉じ込められ、外界との接触を断たれた灯台守ふたりが徐々におかしくなっていく悪夢を描いたある意味トピカルな（笑）作品だった。テック・サタイア『ブラック・ミラー』シリーズ作者としておなじみのチャーリー・ブルッカーが先頃久々にニュース風刺番組『WIPE』を復活させ、コロナ下英政府の迷走に毒舌をふるったのには溜飲を下げた……という具合で、筆者の関心はそもそもダークで悲観な方角にバイアスがかかっている。

しかしイギリスにおけるコロナ第一波はまた、ユートピアのイメージを喚起するものでもあったのだから不思議だ。イーノが話していた「Clapping for carers（お世話してくれる人々に拍手を）」は、各種エッセンシャル・ワーカーへの感謝をこめて喝采しようという、市民レヴェルの草の根アクションが自然に恒例化したものだった。イメージアップのPRとして政府要人も参加し始め、エッセンシャル・ワーカーを英雄視する「賛美カルト」めいた同調圧力をうっすら感じたあたりで筆者は若干のアレルギー反応を起こしたけれども、つい見過ごされがちな縁の下の力持ちの働きとコミュニティにおける彼らの存在の重要性がコロナ危機を契機に見直されたのは間違いない。この拍手や互助を通じて強まった隣人ネットワークは、愛他な社会の基盤でもある。

とかくシニカルになりがちな筆者も性善説を信じているし、世の中の大半を占める善き人々がロックダウンとアイソレーションにある種のスロー・ダウンの喜びを見出しているのは歓迎だ。もちろんこれは「家で働ける人間のたわごと」に過ぎない。だが、テレワークのおかげで家族の触れ合いは深まっただろうし、公園で親から動植物の名前を教わり、ライフ・スキルのひとつである自転車の乗り方を手ほどきされる子供たちの姿をよく見かけるのはいいものだ。普段時間がなくてなかなかできないDIY仕事や料理、読書や運動、園芸やクラフト他のホビーに打ち込む者が増えたのは日本も同様だと思うし、近所の窓辺からはほぼ毎日誰かが（やや調子外れで微笑ましくも）ヴァイオリンを練習しているのが聞こえるようになった。

イーノは無から何かを作り出す者はすべて実践型のアーティストだとし、アートは「人間が生涯を通じて遊び続けるための方法」と言っている。画家も、パン職人も、ごっこ遊びに興じる子供も等しくアーティストということになる。そんな風に多くの人間がアート＝創造／想像活動に従事しているロックダウン状況に、筆者は19世紀の英国人思想家・作家・工芸家・デザイナー・活動家ウィリアム・モリスが『ユートピアだより』（原題「News from Nowhere, or An Epoch of Rest」１８９０年）で描いた未来のロンドンをだぶらせた。



もともと社会主義者連盟の機関誌向けに書かれたこの古い物語も一種のスペキュレイティヴ・フィクションで、そこに登場する未来のロンドンには貨幣経済や資本主義が存在しない。人々は美しく良質な何かを生み出す行為として労働をエンジョイしておりその成果（作物、食料、衣服、工芸品等々）は求める者に無償で与えられる。自身が古典主義のクラフツマンだったモリスの美学と理想を反映し、それら創造物はシンプルな作りで機械的な洗練に欠ける。各種テクノロジーやYouTubeのハウツー動画を利用できる現代とは事情が異なるし、そもそも時間の余裕が生まれたのもネットやスマートフォンのおかげだ。だが、デザインを凝らした自作のマスクを分け与える、手料理を隣人に配る、育てた果実や苗木や植物の種子を「お持ち帰り自由」と家の外に並べる等々の日常的なアート活動とシェアリングの盛んな今の光景を、モリスはきっと喜ぶと思う。

そこから、イーノが教えてくれた「コモンズ」という概念にも思いが伸びていく。想像力を養うアートと文化の生態系を維持するために、それらを人間にとって重要な共有資産として認識しようではないかという考え方だが、それは音楽に関して言えば、現段階では11月に暫定再開の見通しでコロナの打撃とその余波がもっとも長く続きそうなインディな英ライヴ・ハウス／クラブ／フェス他の興行セクターに当てはまるように感じる。

会場そのものの質やブッキングといった細部にこだわる気むずかしい客である筆者は、好きなバンドやアーティストのためにどこにでも馳せ参じる率が年々減っている。むしろ「この会場だったらライヴ体験が損なわれるだろうから、観たくない」と諦める方が多いくらいだ（年寄りなので、前座から立ち見で3時間近く過ごすのがきつい、というのももちろんある）。それでも観に行くひいきの会場は老舗の座席付きコンサート・ホールからカルトな小ヴェニューまで様々なのだが、日中はカフェやアート施設を運営するなど営業が多角的で年会費のパトロン制度をオプションに備えているものは多い。サブスク型のパトロン・システムは会員にチケット予約優先他の特典をもたらすし、会場にとってはチケット代以外の貴重なキャッシュ・フロー源にもなる。

パトロン・モデルは多くの意味で「nurturing（養成、助成）」が基盤で、ゆえに時間もかかる。だが、他で観ることのできないユニークな公演を信念をもってブッキングし続け、何度でも足を運びたくなる心地いい空間作りに努力する会場は自らのニッチとニーズを作り出す。好きなアクトだけではなく未知のアクトやアートを発見する喜びも与えてくれる、そんな場のために出演者もオーディエンスも様々な形で協力しインプットを惜しまない。会場／アーティスト／観客の信頼関係とリスペクトから成るコミュニティ、皆で育て維持する「コモンズ」としてのヴェニューの在り方は、一方的な搾取の場になりがちなライヴ産業にオルタナティヴを提示してくれる。

ソーシャル・ディスタンシングは社会的な接触を不可能にしているし、ワクチン開発までライヴ・セクターが苦戦するのは確実だ。ライヴを観に行く日はいつ訪れるだろうかと暗澹とした気分にもなるが、逆にこの間に規制ゆえの異なるアプローチを模索し今後の新たな道を想像することはできる。アメリカではドライヴ・イン映画館ならぬドライヴ・イン・コンサート案が出ているし、イギリスの大手プロモーターは観客に「コロナ陰性証明書」を会場に持参させることを検討しているという。それらは「パンデミック以前のノーマル」に可能な限り戻ろうとする現状維持の動きであり、おそらく多くの国や既存のシステムがそのルートをたどることだろう。しかし、これを機に様々な変化や改革が生まれる可能性は信じたいし、そこに世界が一時停止した中で再発見された他者との結びつきの大事さと垣間見えたこれまでと違う世界のヴィジョンが反映されるのを祈らずにいられない。

LITERATURE

# 疫病文化逍遥

## ファクトからネオグロテスクへ

後藤護

後藤護（ごとう・まもる）
暗黒批評。著書に『ゴシック・カルチャー入門』（Pヴァイン）。佐野亭編『スタンリー・キューブリック』（辰巳出版、5月刊行予定）に「時計じかけのオレンジ」論を寄稿。訳文校正を担当している『金枝篇』（国書刊行会）の第八巻「スケープゴート」も近刊予定。編集主幹を務める高山宏系批評誌（？）『機関精神史』の第三号「アフロ・マニエリスム特集」を鋭意準備中。黒眼鏡を着用。

### パンデミックと「ファクト」――侵入角度は（デ）フォー

「風が吹けば桶屋が儲かる、コロナが吹けばセイン・カミュが儲かる」というわけで（?）アルベール・カミュの『ペスト』が実に売れているという。しかしそのカミュの元ネタともいえるダニエル・デフォーの『ペスト』（中公文庫）こそが面白いのである。ダニエル・フォー、その後貴族風を気取って「デ」フォーと名を改めた人物。１６６０年生まれ１７３１年没ということで、王政復古にはじまり名誉革命に至る激動の政治の時代にぴったり生涯が重なってしまった人物。シェイクスピアも過去のものとなり、文学より政治がもてはやされた時代に『ロビンソン・クルーソー』で「リアリズム文学の開祖」となった人物。この小説家がどれだけ多岐にわたるキメラ的人物だったか知ることが、現状のコロナ問題を考える一助となりそうだ。

まずもってデフォーとは小説家である以前に、商人にしてジャーナリストである。彼がやった仕事は『レヴュー』という雑誌の刊行、新聞創刊、政治パンフレティエ、庭園の設計士、ガラス課税委員会会員、イングランド銀行顧問、国家宝くじの監査官、政治スパイ……などなど挙げればキリがない。そんな彼の捉えどころのなさを、ポーランド人ヤン・コットが『古典作家の学校』（せりか書房）でポルトレしている。

> バルザック同様に、デフォーは目論見と着想と大財政計画にかけては尽きることを知らなかった。すべてのことがかれの興味を惹いた。商取引も、町の状態も、学問も、地理上の発見も……。かれは文学を研究し、また立法計画に奔走した。改革し、投企をやった。

そんな節操ない彼が１７２２年に匿名出版したのが『ペスト（*A Journal of the Plague Year*）』である。１６６５年のロンドン・ペストを、馬具商を営むロンドン市民H・Fを主人公に設定して、集められる限りの資料を集めて描いたフィクションだ。あまりに淡々と事実を積み重ねていくそのスタイルからノンフィクションと間違えられることも多い。訳者の平井正穂がこの作品の骨子を解説で見事に要約している。



> しかし、この作品を読む人が、臆面もなく羅列されている死亡者数のリストには、辟易するのは事実である。時間の経過をおい、教区から教区へと、ペストが蔓延してゆく事実を、デフォーは数字を並べて、われわれに訴えようとしている。この数字へのオブセッションには、経済的合理主義者としてのデフォーの面目が躍如として動いていることを、われわれは知らねばならない。（４５０頁）

数字より信頼できる「事実」はない、という「データ小説」（高山宏）なるジャンルを発明したのがデフォーである。こうしたバリバリ合理主義を描くデフォーではあるが、ロンドン脱出に際してH・Fは異様な逡巡をみせ、ペストという神の摂理を重く受け止め、疎開せずにロンドンに在留することを決める。ピューリタンの父をもち、非国教徒が主宰する神学校に通っていたデフォーというのもあって、ここに「非合理ゆえに我信ずる」的な宗教心のあらわれを訳者の平井は読み取っている。とはいえ、僕からしたらこの信仰はなんだか嘘っぽい。というのもデフォーほどのホラ吹きもいないからだ。『ペスト』には疫病蔓延にともなって、偽予言者だのアブラカタブラの護符を売りつける詐欺師が跋扈するありさまが活写されているが、実はデフォーも同じことをやっている。ふたたびコットの『古典作家の学校』を覗くとこうある。

かれの広告のアイデアは他に並ぶ者がなかった。当時の有名な藪医者のキャンベルが癲癇病者に売りつけた調合薬に大衆の信用を得させるために、デフォーは有名な話を考え出した。すなわち、悩んでいるこの山師医者のところに守護天使が現れて、「読め、信じよ、為せ」という表題のついた羊皮紙を手渡した。そしてこの言葉の後に、かれが患者に僅かの金で売りつけた例の薬の処方が書いてあったという次第である。(28—29頁)

詐欺師じゃねえか♨「事実を描く天才」とヴァージニア・ウルフは評したが、僕からすれば「事実を捻じ曲げる天才」がデフォーである。他にも「セント・ヴィンセント島が消失した！」と嘘八百で書き立てたのち、島は沈んでないし現存するのを見たという報告が届くと、「そんなの出鱈目だ！」と逆ギレしたという逸話まである。「事実」の人というより、「事実」をいかにフィクション化するか、もっと言えば「事実」それ自体がフィクションであることを暴いたのがデフォーの凄さである——なにせ事実(fact)は「作られたもの」を元々意味した。パンデミックより迅速に嘘情報があふれかえる状況を「インフォデミック」だといってマスコミが騒いでいるが、種村季弘の書物を繙くまでもなく、そうした転形期には山師や詐欺師が跋扈するのは歴史の常套パターンなのである。何をいまさら、という感じ。

## 不可視の可視化

そういうわけでデフォーは1720年にマルセイユで流行りだしたペストが英国に来るのに備えて、ロンドンの市民階級を啓蒙する目的で「事実」を淡々と描写する『ペスト』を上梓したわけだが、上述の内容からその「事実」なるものがそもそも疑わしいということが分かったかと思う。

とはいえ緊急事態に「事実」を欲する民衆のサイコロジーというのを、デフォーがはっきり理解していたことは疑いない。細菌がいまだ発見されず瘴気説が信じられていた時代にあって、目に見えないペストを「事実」を積み重ねることでテクスト上で何とか可視化しようと試みたのがデフォーであった——いわば文学的顕微鏡の発明。「不可視の可視化」を実現する顕微鏡学者がほとんど「司祭」扱いだったことをバーバラ・スタフォードが『ボディ・クリティシズム』(国書刊行会)で伝えていて、じつに読ませる。

顕微の幻視者、[彼は] 即ち啓蒙時代を宰領する俗なる司祭であった。科学という名の祭祀を通して、遠くにある異なるものを、輝く顕示《エピファニー》の裡に一挙近接させた。うじゃうじゃ溢れる経験事象群は単にデータというばかりか、占卜の吉凶記号でも、幻想的領域を示す非幾何学的なエンブレムでもあった。

図1.ウィリアム・ハース画（1828年）。伝染るんです／映るんです。「モンスター・スープ」と形容されるテムズ川にティー・カップを落としたヴィクトリア朝婦人、水滴を拡大して覗いてうごめく雑菌に啞然。「顕微の幻視者」（スタフォード）は安心立命の前段階として驚異に撃たれる。



原子の界域に分け入る神官じみた研究者たちは、三次元の事物から切り離されたモナドの明晰な見え方の醸す他者としての冷たい「感じ」をしきりに口にしている。（450頁）

「うじゃうじゃ溢れる経験事象群」はデフォーのテクスト上から科学者のプレパラート上にスライドしたのだ【図1】。ところでこの疫病コラムを書くにあたっていろいろ瞥見したが、最も面白かったのが4月19日放送の日曜美術館「疫病を越えて 人は何を描いてきたか」である。人体腐敗の変容を描く「九相図」の研究で有名な山本聡美氏がゲストで、日本においては疫病が鬼として表象されてきたことを知った。国宝「辟邪絵 天刑星」に至っては手が四本ある鬼（＝疫病）をお酢につけて食べる（！）という衝

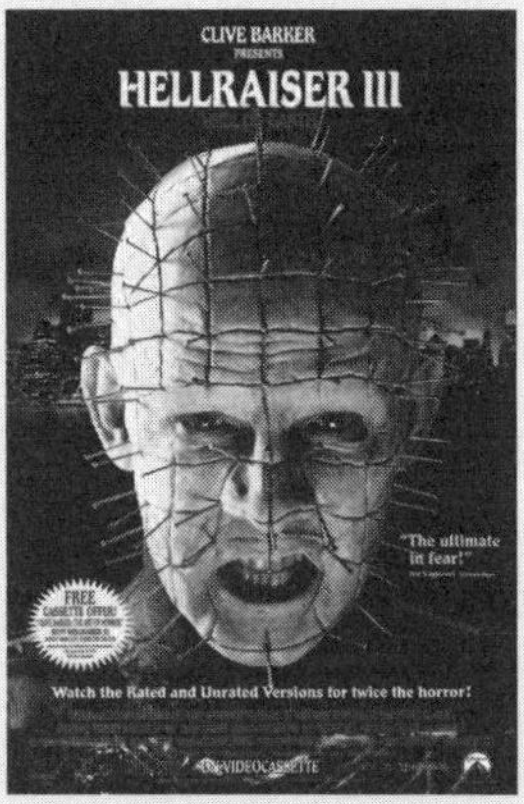


図2.エジプトのテレビ番組でCOVID-19に見立てられたピンヘッド。マスクは着けられそうにない。

撃の撃退法まで描かれている。このように病気－不安（dis-ease）は「見立て」られ可視化されることで克服されるのであり、「現代でいえば電子顕微鏡でウィルスを捉えるようなもの」と山本氏は喩えていた。またエジプトのテレビ番組では擬人化されたCOVID-19に司会者がインタヴューするという謎企画が生まれたが、そのスパイク状の形態からヴィジュアル・アナロジーされたのが顔面に針が無数に突き刺さった『ヘルレイザー』のピンヘッド【図2】であった――「隠喩としての病」（S・ソンタグ）はここに極まった、とそのくだらない番組をネット視聴しながら僕は思った。

### ポストコロナ時代のネオグロテスク

デフォーを進入角度に設定し、これまで初期近代から現代までのパンデミックへの文化的対応（不可視の可視化）を見てきたが、そろそろオチをつけてみよう。「ポストコロナ」はどうなるのだろう？　実際に死の恐怖が蔓延することで「加速主義」とかいう机上の黙示録ごっこは一瞬で周回遅れになった。暗い世相だからといって死やメランコリーと戯れ、躁鬱やペシミズムにコミットすることほど安易なことはない。黒死病による大量死およびそれを嗤う「死の舞踏」――いわば錬金術における「黒の過程」――を経験したヨーロッパだからこそ、ルネサンスに入って「人間」を再定義する人文主義が生命を発揚し得たように、「死の哲学」



ではなく「生命の哲学」について本気で考える局面《フェーズ》に世界が入ったのではないか？

２０２０年４月20日の『朝日新聞』朝刊（一五面）で、コロナが猛威を振るうなか敢えて「大道芸」をテーマにした記事が載ったのだが、「見世物に詳しい若者」枠で僕も電話インタヴューを

図３．ル・コルビュジェ設計のサヴォア邸（1931年竣工）。装飾を排したサナトリウム建築とパラレルな清潔さ。

受けた。その際にも語ったことだが（悲しいかなカットされたが）、百年前にスペイン風邪（１９１８―１９２０）が大流行したことは各種メディアがよく取り上げている一方、全く同時代にメイエルホリドや坪内逍遥らを中心に野外演劇や大道芸など野卑な「ストリート」の力が再評価されたことも忘れてはなるまい（海野弘の名著『都市とスペクタクル』に詳しい）。

このコロナで建築から何から、ますます「清潔な帝国」が築かれる可能性がある。20世紀初頭の疫病から逃れるためのサナトリウム建築が光や風を通過させる空間を意識したことでル・コルビュジエなどのモダニズム建築【図3】に影響を与えたように、コロナもタッチレス・テクノロジーや過剰装飾排除を中心に都市空間を変えていくだろう。

とはいえそれによって「ピュア」なものが求められ「インピュア」なものが排除される構図を招くならば逆に危険な面もある。斎藤環が「コロナ・ピューリタニズム」と名付けたような状況は、



僕が『ゴシック・カルチャー入門』で縷説した中西部ホワイト・トラッシュの「田吾作ゴシック」とも共振する明暗対比原理で「白」か「黒」かジャッジし、笑うに笑えない超差別（ウイルスないし感染者との「戦争」）を誘発する。デフォーの近代が発明した「ファクト」の一義性《ピュアネス》は曖昧性《アンビギュイティ》を抹殺してしまう。

その意味で差別是正とか多様性（場合によってはコロナ）を認めるということは単に「クリーンな社会」を目指すことでは断じてなくて、どれだけダーティーなものと共存しうるか探るということ。ティモシー・モートンのいう「どろどろしたもの」をアブジェクトせずにいられるかどうか。すべてを距離化・分類化・可視化してしまう「視の専制支配」（S・T・コールリッジ）に対して、そうした距離を無化し、曖昧の混沌に還す味覚・触覚・聴覚をその研究対象とするモートンが「共生」を言うから説得力がある。ポストコロナ時代に最も大事なのは（バフチン的な意味での）「グロテスク」を再定義する思想である。

# アポステリオリな思考

仲山ひふみ

仲山ひふみ
（なかやま・ひふみ）
批評家。『ユリイカ』『現代思想』などに寄稿。『アーギュメンツ#3』を黒嵜想と共同編集。現在『思弁的ホラー論』（仮題）執筆中。

事態の急変を目の当たりにし、慌てた各国の政治的指導者たちが発した緊急事態宣言とそれに伴う主要都市のロックダウン、社会全体でのソーシャル・ディスタンシングの取り組み、専門家たちによって昼夜を問わず続けられた感染状況のモニタリングと感染経路の分析、数理的モデル化にもとづく予測、現場の医療従事者たちによるリスクと隣り合わせの凄まじい努力などが実を結んで、新型コロナウィルス（SARS-CoV-2、以下たんに「コロナ」と呼ぶ）とその感染症COVID-19がもたらしたグローバルな「危機」は、このテクストが書かれつつある5月中旬現在、早くも一種の擬似ピークアウト的な小康状態らしきものへと近づきつつある。もちろん、しばらくしてから再び第二、第三波のアウトブレイクがやってこないという保証はないし、仮にそうなった場合、第一波のときと同じ轍を踏まないようにするためのさまざまな対策を（特に人口の多い先進国の政府が適切な臨時予算を組むといったかたちで）いまから講じておくことは、合理的存在者としての私たちにとって、それをサボタージュすることが許されないある種の義務のようなものであり続けているだろう。このことはグローバルな緊急事態ないし「例外状態」（アガンベン）が、政治的‐倫理的な次元ではいまだ終了していないということを意味する。私たち人間は、昨日の死者たちへの責任を果たすべく、明日の可能的死者たちの数を減らすための合理的努力を続けなければならない——たとえそれが現実的にはリソース不足のために、三密回避のシュプレヒコールやマスク着用の半義務化などといった、下からの全体主義とショック・ドクトリンの混ぜ合わせのごとき、寒々しくもおぞましい制度的実装に行き着かざるをえないとしても。とはいえ、腐っても理性は理性だ。人間はおのれの理性＝サピエンスからしか「解放」の可能性を引き出せない。実際、公衆衛生や医療サービスなどのインフラに関わるコストカットを盲目的に続ける新自由主義的方針だけは、資本主義それ自身が安定して運動し続けるためにも断固として退けられねばならないというのは、この合理的かつ倫理的な文脈のなかで私たちが手に入れた数少ない有意義な結論だろう。あのボリス・ジョンソンでさえ自身のCOVID-19への罹患と治療をきっかけに「社会は本当に存在するということを知った」と述べざるをえなかったのである——この点では、労働の完全自動化をひとつの理念的極として掲げつつ、福祉国家的なサービス拡充と資本主義的技術発展の両立をオプティミスティックに言祝いでいたスルニチェック＆ウィリアムズの左派加速主義の提言が、いまや不思議なリアリティを帯び始めているのが注目に値する。しかし他方で、非合理的存在者である限りでの私たち、つまり日常と非日常の別を問わずつねに無意識的に振る舞うことでしか社会的領野を構成するさまざまなフィクション（幻想）を横断することのできない私たちは、この「コロナ危機」に対してそのパニックの発生の当初から、驚くべきことに、この新興感染症はひどくつまらないものだといった漠然とした非倫理的感情を抱いていたように思われる——とにかくすべてが無意味であり、退屈であるといった印象を。あるいはむしろ、一種の麻痺状態が私たちの思考を襲っていたのだと言うべきか。

カントの批判哲学の体系においては、倫理的行為は感情にもとづくものではなく、純粋な意志（道徳法則に従う）によって実現されるべきものだった。逆に、感情（快と不快の）は美学的判断を構成する要素と見なされていた。その意味では、コロナを前にして私たちがとっていた無意識的態度のうちには、美的態度の特徴がいくぶんかは含まれていたのだろうと推察される。加えてその非倫理的な眼差しのなかには、自然の偶然性のまさしく具現であるところのこの新種のウィルスそれ自体について、純粋に哲学的に思考しようと試みて果たせなかったことからくる幼稚なフラストレーションの痕跡がはっきりと認められる、と指摘することも可能だろう。要するに、この「不謹慎な」態度は、それ自体ではとりたててラディカルなものではなく、ましてや英雄的な逆張りの産物でもないのである。理性の眠りは怪物を生み出すが、何の準備もできぬまま怪物と遭遇した理性はどうやら耳を塞いで不貞寝してしまうらしい。

白状しよう。私自身もまた、直近の数ヶ月をそのような非倫理的感情を携えて、この「コロナ危機」なるものをたんなる数の問題のように捉えながら、それが哲学的思考はおろか、思考すること全般の停止状態をもたらしているような感じを受けつつ過ごしてきたのである。古代哲学の格率をひっくり返して述べるなら、その期間の私は、善く生きるのではなく、たんに生きていた。ラディカルさのかけらもなく、のんべんだらりと、まさしく「剥き出しの生」を。そんなわけで、ジョルジョ・アガンベンやジャン＝リュック・ナンシー、スラヴォイ・ジジェクやカトリーヌ・マラブーといった現代思想界隈の大物たちが、主としてフーコーを参照しつつ、「コロナ危機」下での生権力や統治性の望ましくない仕方での拡大、情報技術を駆使した新たな監視社会の到来、あるいはこの事態の長期化が資本主義にどのような変化を迫り、新たなコミュニズムの形態を予感させることになるのかといったテーマについて発言を繰り返しているのを見ても、私のほうでは、白けた気分が増すばかりだった。第一印象として、現代思想の表看板を担う彼らは、コロナという見かけ上「新しい」出来事について、「アクチュアルな」発言をしないわけにはいかない立場にいるからそうしているだけなのだろう、と感じたことを覚えている。この印象はいまでも基本的には変わっていない。ジジェクやアガンベンたちは一貫して、ロックダウンや隔離に伴う人々と事物を取り巻く政治的‐倫理的な状況の変化だけを問題にしている。人間と、人間の条件だけが問題になっている。そこではこの出来事を引き起こしたウィルスそれ自体、「物自体」についての考察や思弁はほとんど試みられることさえないのである――あたかも、そうした問題は現代思想にとってまったく哲学的な重要性を帯びていないとでも言うかのように。

　アラン・バディウはある記事において、COVID-19を「社会」と「自然」の二領域の交差から生じた出来事として分析することを提案している（註1）。「社会」に関する部分では、弱者の生存権を守るものである限りでの国家による外出禁止令への左派的立場からの同意が強調されるという点で特殊性が見られるものの、大筋においてはジジェクらと似たような見解が述べられている。が、他方で「自然」に関する部分では、鳥インフルエンザやエボラ出血熱やＳＡＲＳの名が挙げられ、グローバルに拡散される疫病のリスクそれ自体は私たちにとって決して「新しいもの」ではないという指摘がなされており、興味深い。自然に属するものとしてのウィルスは、たしかに媒介者としての動物が野生状態下での分布域から引き離され、混ざり合うことでその変異が加速されるという意味では資本主義的グローバル化や人新世における人間による自然への介入＝自然支配といった事柄と結びついているが、しかし基本的には人間とも、あるいは啓蒙的理性の目的論とも無関係に実在している。それはルーレットの目が出るように、トランプの絵札が揃うように、偶然的に変異し、発生するものでしかない――つまり、ウィルスがもたらす「新しさ」は、地球科学的／進化史的時間軸で見るならばたんなる数の問題でしかないのだ。

　純粋な「数」の問題としての「コロナ危機」。浅田彰がいみじくも指摘しているように、季節性インフルエンザの致死率である０・１％とＳＡＲＳやＭＥＲＳの10％との中間（対数グラフ上での）に位置する１〜２％の致命率をもつSARS-CoV-2は、その潜伏期間の絶妙な長さや感染力のピークが発症前にくるといった事情も相まって、「弱いくせにしつこく絡んでくるヤクザみたいなもので、かえって扱いに困る」のである（註2）。このウィルスが、現代の資本主義社会に取り憑きパニックを引き起こすことにこれほどまでに成功した理由は、感染症の歴史を紐解くことで得られる豊かな解釈可能性によってではなく、端的にその数字の並び、絶対的に無意味でありながら圧倒的に絶妙なこの「数」の組み合わせによってこそ、うまく説明されうるのである。

この認識から私たちは、バディウ自身の意図とも異なる、コロナがもつ非人間的な「新しさ」について思考する方向へと踏み出すことができるだろう。というのも、バディウもまたジジェクらと同様に「新しさ」をそのアプリオリに人間的な意味において、つまり革命による人間の政治的‐歴史的な「解放」の出来事として捉える習慣から抜け出せてはいないからである。思えば、現代思想の論客たちはみな、今回のコロナについてアプリオリに（＝経験に先だって）考えようとしすぎていた。それは、コロナの経験について彼らが語らなかったということではなく、むしろその底抜けにニヒリスティックなものであったはずの経験を、コロナが出現する以前の批判的プロブレマティックとの連続性を保つことによってしか、要するに倫理的‐合理的な緊張のなかに閉じ込めることでしか彼らが語れなかったということを意味する。コロナのつまらなさ、無意味さ、退屈さについての非倫理的‐非合理的な（非）思考への内在は、「新しさ」の概念をアプリオリなものからアポステリオリなものへと変える。統計的処理が背景にあることからもわかるように、たんなる数の問題としてのウィルスの実在性（物質性、物自体）の「新たな」次元は、カント主義的な前提に反して、アポステリオリな思考によってしか見出されないのである。

今回の「コロナ危機」から私が受けとった最大の衝撃は、結局のところこのウィルス的アポステリオリへの気づきにこそ集約される。それは無意識のうちに、私に、現代における哲学的思考の役割をあらためて考え直すことを強いた。しかし、言うまでもないことだが、この考え自体もいずれ変わる（＝変異する）可能性がある。ウィルス自身がそうであるように。哲学の（アポステリオリな）分身、それがウィルスだ。変異、それは「数」を並べ替えることだ。超‐超越論的二次創作。そのようなわけでこのところ私は、あの偶然性と沈黙、キノコを愛したジョン・ケージの音楽を、いまこそ新しい（非）倫理的感情とともに聴くことを試みなければならないと思い始めている。



註1　Alain Badiou, «Sur la situation épidémique», *Quartier Général,* 26 mars 2020. URL: https://qg.media/2020/03/26/sur-la-situation-epidemique-par-alain-badiou/

註2　浅田彰「疫病の年の手紙」、REALKYOTO、２０２０年４月24日。URL: http://realkyoto.jp/article/asada20200424/

ESSAY

# 洪水と生存
## 誰も外に出ない家の中で

高島鈴

高島鈴（たかしま・りん）
1995年、東京都生まれ。ライター。ele-kingにて「There are many many alternatives. 道なら腐るほどある」連載中。『文藝』2019年冬季号にエッセイ「シスター、背中は任せた」寄稿。

## 1

　コロナだから何？　今生じている「新しい問題」というのは、ただこのウイルスが未知だっていう私には確かめようのないことだけで、あとは全部ただ前からあった問題の顕在化ではないのか。今起きている問題は大したことないと言おうとしているわけではない。絶対的にない。パンデミックによって一気に悪化した諸問題のことを〈パンデミックの問題〉として位置付けるやり方が、まあまあ商業的でイラっとくる、ということだ。だって前からそうだったじゃん、保健所や病床の数が減らされ続けてきたこと、医療従事者の養成や労働環境の整備が間に合っていないこと、たくさんの低賃金労働者——女性の比率が高い——が職を失うリスクを常に抱えていること、それに入国管理局で起きている暴力、監視社会、公文書破棄、政権の意思決定系が極めて独善的であること、陰謀論やデマ、中韓への差別、職業差別、家庭内暴力、経済的DV、再生産労働の押しつけ、自己責任論、学生の貧困、社会保障を受ける者へのバッシング……全部前から批判されてきたことだ。今噴出しているこれらの問題に「コロナ禍」と書いてまとめて、それで一つでも片付くならいいけど、そうではないはずだ。本当はどの問題もパンデミック以前からずるずると長大な文脈を持っているのだから、個別に立項して丁寧に分け入らねばならない。そのような巨大なトピックを、突然パンデミックの名の下に束ね、同じ箱に突っ込んだとしたら……そりゃあ「見る」人は増えるかもしれないが、文脈をぶった切り、一つ一つの問題に対するピントをぼやけさせるだけではないのか？　それは本当に問題解決に寄与するやり方なのか？

　……と言いたくなるが、もしかしたらこれまでほとんど社会から無視されてきた諸問題をはっきりと人々に「見せた」という点こそが「パンデミック」なのかもしれない、とも思う。パンデミックは社会の回転を強制的に詰まらせ、回転によってどうにか受け流されてきたもの全てを溢れさせる。われらは上昇する水位を呆然と「見つめる」。視界は全てを蹂躙する汚水で埋め尽くされるだろう。日頃の水の流れを見つめない者は、確かに「この水はどこからやってきたのか」と驚愕するかもしれない。まさに洪水Floodだ。

そう、洪水だ。今回のパンデミックで横溢した諸問題は洪水に似ている。低い土地ほど深く浸水し、水が引くのも遅い。一方で高い土地に陣取って暮らしている人たちは、低い土地に生きる人と比べて遥かに被害が軽い。土地の高さは社会的地位の高さとほぼ合致する。洪水は社会的に弱い立場に置かれた人々から優先して襲い、低い土地に最後の最後まで居座り続けるだろう。受ける水の量、そして期間に至るまで、最も大きな損害を被るのはいつも弱い場所にいる人たちなのだ。格差――洪水の比喩においては土地の高低差とリンクする――の限りなく拡大した今の列島社会においては、特にその傾向は顕著に現れる。

## 2

だから著名人の検察庁法改正反対ツイートがいくつか並んだとき、女性の投稿だけが責められていたことに、悲しいけれど私はもう驚けなかった。オンラインデモのハッシュタグ「#検察庁法改正に抗議します」を投稿したきゃりーぱみゅぱみゅが「歌手だから知らないのかもしれないけど」と男性評論家から馬鹿にされていたのも、小泉今日子がその政治的姿勢をかつてのパートナーの影響だと揶揄されていたのも、これまで何度も見てきた列島社会の女性蔑視に明確に連続していたからだ。何も新しいことではなかった。だから尚更クソ悔しかった。

きゃりーぱみゅぱみゅに対する仕打ちは特に酷かった……まず先に触れた評論家のように、きゃりーの検察庁法改正反対ツイートを馬鹿にする連中が現れた。そしてリプライ欄には、きゃりーの「ファン」――そこには本当のファンもいたし、ファンを名乗ってきゃりーにダメージを与えようと試みる者も含まれていた――が「失望しました」などとコメントをつけまくった。きゃりーを支援するファンとこのような失望ファンたちはリプライで口論を始め、やがて炎上し、きゃりーはファン同士の口論を理由にして最初のツイートを削除するに至ったのである。実質的にはきゃりーの政治的発言を嫌がったやつらが、きゃりーの口を塞いだようなものだった。

なお、その後木村花さんの死去に関してきゃりーが芸能人への誹謗中傷をたしなめる投稿をした時、今度はきゃりーの検察庁法改正ツイートを安倍への誹謗中傷と解釈し、きゃりーの言葉に勝手にダブルスタンダードを見出して怒りをぶつける輩が出現した。

意味がわからない。ハッシュタグ「#きゃりーぱみゅぱみゅさんへの攻撃をやめてください」が生まれる程度に、きゃりーに対するバッシングは度を超していた。

なぜきゃりーぱみゅぱみゅら女性芸能人の言葉に過剰な批判が集中したのか？　ここでもう一つ別のツイートを取り上げてみる。ネトウヨ芸能人として名高いつるの剛士が、白人警官による黒人への暴力を批判する運動について言及した投稿「普通の声で、ほんまこれ。」である。

これは別の人物が投稿した「声高に平和を訴える人ほど攻撃的　声高に差別反対を訴える人ほど差別的　声高に誹謗中傷を責める人ほど言葉が汚い　普通の声で言おうよ、正しいことなら」という投稿に同意を示したものだ。「普通の声」。それは簡単に言えば「機嫌の悪くない声」ということであり、典型的なトーンポリシングである。

親が子に「その顔はなんだ」と怒鳴ることはあってもその逆はないように、感情の取締りは主に権力勾配のある関係性において発生する。政権批判、それも社会から機嫌よくあるべき存在として認定されやすい「女性」の政権批判は、マッチョな感情取締り屋どもにとって特に許しがたい「不機嫌」なのだろう。「大衆」を笑って受け入れるべき芸能人であれば尚更気に食わないらしい。きゃりーが狙われたのは、きっとそういうことだ。お前は常に機嫌よく笑って、求められるままに歌でも歌っておけばいいのだと、感情取締り屋はそう言いたいのだ。

これは昔からあったことだ。しかしここまで苛烈に可視化されたのは、やはりパンデミックの閉塞感に由来しているように思える。

## 3

「普通の声」。不意に思い出す。

「明日暑いの？　やだなあ」

パンデミック下の食卓で、私はわざと明るい、「普通の声」を出す。天気の話題はこういう時に本当に便利だ。父と母の会話が少しでも険悪になりそうな気配があれば、私はそのカードを切る。その「機嫌の悪い声」をかき消すために、自分の「普通の声」を使うのだ。本当なら家族と食事などしたくない。もう父母の険悪さに付き合いたくはない。それでも今はこの輪から逃げられない。

家とは「機嫌の悪い声」を取り締まり合う仕組みに他ならないのではないかと、この二ヶ月で気づいた。狭い家、それも誰も外に出ない家であれば特に、誰か一人の「不機嫌」がすぐに家中に伝播する。走る緊張に任せて険悪な空気をそのまま放置できるのは、それはそれで権力だ。水際で決定的な「不機嫌」に家が飲まれるのを防ぐよう、タイミングよく動くことだけが、この家で最も立場の弱い私の生存戦略だった。

これは本当に疲れる作業だった。全く話しかけたくない相手に無難な話題を振ったり、わざとティッシュボックスや新聞をとってくれと頼んだり、お茶を入れると声に出して宣言して席を立ったりした。機嫌が悪くとも話しかけられれば「普通の声」で応対した。そういうふうに動く私を見て母は「あなたは優しいね」と言ったが、そうではなかった。私は優しくなどない。あるのは私が優しくならざるを得ない状況だけだ。私はこの家の空気が決定的に緊張し、私の精神状態をさらに悪化させることを防ぐために、小さな回避行動を積み重ねているだけだったのだ。私のこの動きは善行ではない。だって私の目的も感情の取締りだから。親の機嫌を和らげ、自分の機嫌をなるべく隠す。権力勾配は逆だが、もしかしたらもっと早く決壊してしまえばよかったものを、私は自分が「今」を生き延びるために延命させてしまったのかもしれない。

　これも前からあったことだ。でも、水位は確かに上昇している。

## 4

空間が閉塞していればいるほど水位はすぐに上がる。同様に、社会が閉鎖的であればあるほど、諸問題がわれらの首元に手をかけるまでの時間は短い。

　社会にきちんと逃げ場を作り、溢れた水を逃すことは、やっぱり「普通の声」などでは達成できない。機嫌の悪い金切り声を、周囲に最悪な空気がもたらされることを覚悟して大音量で放つ。そういう営みが世の中をまともな方向へ動かしていく。

　しかしそれがいかに難しいことなのか、私は知っている。水位が上がっている真っ最中に金切り声を上げることは常に自爆に転化する危険性を帯びた行為で、成功する保証もないのに気軽に選択できることではない。ゴミカス列島社会が今も後生大事に保持している閉鎖的なムードは、容易には壊れない。私が親の機嫌を和らげるように、みな列島社会の機嫌を保とうとする。その方が生存しやすいからだ。

　私は読者にあてて「不機嫌な金切り声を上げまくれ」と書きたいけれど、そう書くことができない。私自身が「家の空気をぶち壊してでも不機嫌な顔をして外へ出ていく」という選択をできていないからだ。多分同じような状況で潰れている人は、世の中に無数にいるだろうと思う。

　だから書いておきたい。生存は抵抗である。水位の上がる地獄の中で、それでも生きているなら、それは抵抗なのだ。必ず打開する機会があると信じて生存に労力を全振りすることを、私は罪悪感と痛みの中で肯定する。

　ただ大事なのは、われらはわれらが見た洪水を忘れてはいけないということだ。水が少しずつ引き、動く余裕が生じたときに、今の水位のことを何度でも思い出す。あの水はどこから来て、どこへ去ったのか。汚水の流れを一つ一つ追う以外に、打開策はたぶんない。

ESSAY

# トンネルをぬけて風にふかれる

## あたらしい精神の形式について

白石嘉治

白石嘉治
（しらいし・よしはる）
上智大学ほか非常勤講師。専門はフランス文学。編著書に『文明の衝突という欺瞞』『ネオリベ現代生活批判序説』（新評論）、『不純なる教養』（青土社）、『VOL lexicon』『反・装置論』（以文社）、共著に『文明の恐怖に直面したら読む本』（Pヴァイン）など。

コロナで全部予定がなくなったので、
どこかへ行こうと思っていた。
——安倍昭恵

イタリアの思想家ビフォは、パンデミックのあとには「身体」が回帰するといいます。

以前のふつうは二度と戻らない。その後に来るべき事態は何も決定されてはいないし、予期することはできない。／政治的にはふたつの可能性に直面している。暴力を手段として資本制経済を再起動する技術全体主義システムがひとつ。あるいは人間的活動の資本制の抽象化（搾取）からの解放による、有用性に依拠した分子的社会の創造。／（……）／わたしには潜在性の方が興味深いので、ここでは確率的な可能性を超えて考えてみたい。そして潜在的な可能性は、抽象化の破綻と具体的なニーズの担い手としての物質的身体の劇的な回帰、これらの内に孕まれている。／（……）／使えるかどうかが、社会的な領野にかえってきた。資本制における抽象的価値化

ESSAY

過程の下で長らく忘却され否定されてきた有用性が、いま舞台の王座につく。／（……）／いま即座に必要なのは、病気に対するワクチンであり防御マスクであり集中治療設備だ。そして長期的には食料、そして慈しみと歓びとを求めている。あたらしい文化、やさしさと連帯とつつましさの。（「破綻を超えて：その後の可能性についての三つの沈思黙考」、ブログ「Hapax」2020年4月6日）

もちろん「資本制経済」は、その「ふつう」の維持のために、われわれを「技術全体主義システム」のなかにそっくり格納しようとするでしょう。「テレワーク」、「オンライン授業」、「新しい生活様式」などなど。利潤をもとめて、もっと「抽象化（搾取）」しようとする。だが、われわれはそんなことを望んでいるのか？ ひきこもる、マスクをする、手で顔をふれないようにする……とうぜん、じぶんの身体に意識がむかう。だから「具体的なニーズの担い手としての物質的身体の劇的な回帰」がおきる。

ビフォのいう「有用性」については、ちょっと注意しなければならない。たとえば、パンデミック以前、われわれは仕事帰りにスーパーに立ち寄っていました。むやみにあかるい照明にてらされて、ヨーグルトが整然とならんでいる。こんなにたくさんのヨーグルトは必要なのだろうか？ 迷っているうちに人生の時間がすぎていく。買い手だけではありません。それぞれのヨーグルトの企画会議があり、徹夜でパワポを準備しなければならない。製造があり、スーパーに搬入する仕事もある。無数の身体の時間が利潤のために動員される。問われているのは、こうした「抽象的価値化過程」にたいする「有用性」です。しかも、それは「物質的身体」にねざす。だから「舞台の王座」につくのは、正確には「有用性」ではなく、われわれの身体そのものでしょう。そしてそこから「あたらしい文化」がはじまる。

ビフォは楽天的すぎるでしょうか？ 動物から感染する可能性のあるウイルスは60万種類以上にのぼります。なんどでもパンデミックはおきる。にもかかわらず、われわれの頭のなかは、いまだにソリューションやアルゴリズムでいっぱいです。利潤をもとめて、そんなことばかり考えている。精神のはたらきそのものが緊縮財政になり、じぶんの身体などかえりみない。そうした精神がウイルスをひきよせたのではないか？ 塩基配列だけからなるウイルスは生物のかけらのようなもので、ペラペラな精神にあいふさわしい身体なのでしょう。ふつう対立は上位のカテゴリーに媒介されています。東と西が「方角」として対立しているように。ところが自然には上位のカテゴリーがない。だから極と極がつうじあう「極性連関」がおきる。精神の極度の抽象化とともに、われわれの身体はウイルスという分身にとってかわられる。

それでもほんとうに、身体は回帰するのでしょうか？ たしかに、われわれはスポーツにいれあげてしまう。週日はたらいたあと、週末は等々力で中村憲剛にみいられてしまう。ちょっとした代償行為かもしれないけれど、たぶんそこには手がかりがある。精神がふだんとは逆向きにはたらいて、身体にむかっている。そしてスポーツだけでなく、ひろい意味での美学的な経験には、おなじ精神の逆転が感じられるはずです。われわれとしては、その「潜在的な可能性」（ビフォ）にふれるためにも、スピノザの『エチカ』をふりかえっておきたい。というのも、そこでは身体へとむかう精神の形式が語られているからです。スピノザが生きたのは17世紀のオランダでした。資本主義のはじまりをつげた場所のひとつです。またスピノザじしん、当時の科学革命の渦中にありました。資本にせよ科学にせよ、彼の思考は身体をないがしろにする抽象の先ぶれにたいする闘いだったのでしょう。

いずれにせよ、ふつうの哲学者たちは身体ぬきで考えようとする。その精神のはたらきは、おおむねつぎのような三つ組みにもとづいています。

### 対象―表象―観念

対象が表象され、それが観念へとねりあげられる。「対象―記号―意味」や「もの―イメージ―ことば」も、そのヴァリエーションです。思考は対象から観念へとすすむ。身体から遠ざかっていく。ところが、スピノザは表象と観念の関係を転倒させます。

### 対象―観念（＝情動）―表象

スピノザにとっての対象とは、なによりじぶんの身体でした。それはつねにほかの身体とともにあり、無限の「変様（affectio）」がもたらされる。そうした身体に触発されて、精神にも無限の「変様」が生じる。おどろくべきことに、スピノザはこの精神に生じる「変様」を「情動（affectus）」とよび、それが「観念」の始原のすがたであるという。精神の底にあって、身体とともにゆれうごくきざしのような「観念＝情動」。それはわれわれがこんにち「無意識」とよぶものにちかい。そこから表象やイメージ、あるいは概念がたちあがる。とうぜんながら、それらは十全に「観念＝情動」を表現していない。だから、スピノザは「観念＝情動」へとおりていく。精神のきざしへとむかう。その先には身体があります。

ようするに、スピノザの精神の形式は、ふつうの哲学者たちとは逆に身体へとむかう。江川隆男の卓抜な読解（『スピノザ『エチカ』講義――批判と創造の思考のために』法政大学出版局、２０１９年）によれば、この逆行によって、表象の「巨大回路」がしりぞけられ、精神と身体の「最小回路」がみいだされる。そこに道徳とは区別されるべき「倫理」がある。道徳はなにより既存の秩序の維持のためにある。問題があっても目をつぶる。そういう精神のはたらかせ方です。問題から遠ざかり、表象のなかに安住する。注意すべきは、こうした道徳はふつうの哲学者たちとおなじ精神の形式をとることです。だから彼らは、京セラの元社長などが「哲学」と称して説教するのを嗤えない。それにたいして、スピノザは表象から「観念＝情動」へとすすむ。身体と精神の「最小回路」が目ざされる。もちろん身体と精神はべつのものです。思考が身体そのものに到達することはないでしょう。賭けられているのは、表象の「巨大回路」からぬけでることです。われわれにとっては、それは「技術全体主義システム」や「抽象的価値化過程」の罷免でもあるはずです。

～

「緊急事態宣言」下の公園で、臼井隆一郎の『乾いた樹の言の葉――『シュレーバー回想録』の言語態』（鳥影社、1998年）をゆっくりとたどる。五月の日ざしのもと、なにごともなかったようにゆらぐ樹木たち。シュレーバーの父親は子どもの姿勢を矯正する拘束具の発明でしられていました。そうした父親のもとで、法曹界のエリートとなったものの、シュレーバーは「神経病」をわずらって長期の入院を余儀なくされる。彼は「拘束されたヒト」です。父親による身体の拘束だけではありません。『回想録』がしめすのは、言語という表象のなかに封じこめられている彼のすがたです。ただ、臼井によれば、シュレーバーの語る夢の記述には、そこからぬけでる徴候が読みとれるという。

たしかに「以前のふつうは二度と戻らない」のでしょう。パンデミックをつうじて「巨大回路」は抽象度を亢進《こうしん》させている。われわれもまた、シュレーバーのように、心身ともに拘束されつづけるほかないのでしょうか？　たとえ身体が回帰したとしても、もはやユートピア的な「潜在性」を夢想することは禁じられているのでしょうか？　われわれとしては、さいごにトリュフォーの映画『華氏451』にふれておきたい。ブラッドベリによる原作の小説では、書物が禁じられたディストピアが語られます。それはSFの常道です。ところが映画の結末では、ユートピア的なみぶりが印象深くえがかれています。弾圧を逃れた者たちは、それぞれの愛着にもとづいて諳《そら》んじられた書物を口伝えでうけつごうとしている。ことばという表象を身体との触発にたちかえらせるかのように。この緑野の光景のうちには、スピノザの「最小回路」が開示されているのでしょうか？　すくなくとも、われわれの望むものは政府の喧伝する「新しい生活様式」などではないでしょう。身体へとむかう、あるいは「観念＝情動」の無限の触発へとおりていく、あたらしい精神の形式がみいだされなければならない。おそらくそれなしには、パンデミックのトンネルをぬけても、風のさわぐ夜にでかけることもないはずです。

# ホリデー・イン・ザ・サン（密）

三田格

三田格（みた・いたる）
1961年、LA生まれ。ライター・編集。共著に粉川哲夫と『無縁のメディア』、野田努と『Techno Definitive 1963-2013』、編書に『Ambient Definitive 1958-2013』、『ゲゲゲの娘　レレレの娘　らららの娘』、戸川純『疾風怒濤ときどき晴れ』、忌野清志郎画報『生卵』、『Dommune Official Guide Book』など。

コロナ休みが終わってしまう。なにも社会や学校に早く復帰したい人ばかりではないだろう。一度は「世界」のゲームセットが垣間見えたのに、もう再開してしまうのかと心が淀んでいる人も少なからずいるに違いない。武漢の封鎖が解かれた4月8日、喜びにわく中国の人たちが消費の現場にどっと舞い戻っていく光景を見て僕はむしろコロナ禍前の疲労感がぶり返した。「万人の万人に対する闘争」の再開。コロナ休業で苦しい人たちがいるのはわかる。この世界には「最大多数の最大幸福」という功利主義のおまじないが効いていることも知っている。しかし、もはや一方向にしか動かないと思っていた世界が必ずしもそうではない方向に逸れたにもかかわらず、再び同じ方向にアクセルが踏まれてしまうのかと。まるで「経済活動」が「人間」のすべてだと言わんばかりの単純思想。ほかに「人間」を定義する考え方はないのかよと。「♪目的はなにもしないでいること〜」とためらいもせずに歌っていたフィッシュマンズの哲学がこの空のどこかに消えていく。「♪そっと運命に出会う」隙も与えてくれずに。

新型コロナウイルスがまたたく間に資本主義を「減速」させた前夜、資本主義に限界を感じていた人たちの一部は「加速主義」という観念と戯れていた。80年代の俗流解釈では「型にはめられる前に社会からはみだせ」という人生論として機能した考え方だけれど、そのような遊びじみた感覚はもはやなく、元々の考え方にあった「そのようにしてはみ出したものも、いずれは統合される」という部分をカットしてカタストロフィとしての性格を際立たせ、いってみれば西欧では何度も繰り返されてきた黙示録思想に馴化させたのである。この世界はいずれ終わりが来ると宣言し、カウントダウンを始めることによってエロティシズムが喚起される人たちなのだから、ノストラダムスや共産主義が無効化した後では、そうでもしなければ「生」が意識できなかったということなのだろう。では「加速主義」が予測する「非人間的な力で人間性を完全に消費し尽くす」(大意)とは具体的には何だろう。ここからは勝手な議論を始めさせてもらう。資本主義の発展はマーケットの拡大とともにあり、マーケット(市場)というのは余ったものを交換するのが起源だったと考えれば、共同体Aと共同体Bの中間＝つまり、各共同体の外側にあり、その機能を増大させようとして共同体の内側でも日常的に売り買いが可能になると共同体の全域がマーケットに覆い尽くされ、さらには時間的な制限を



なくして24-7も食い尽くし、次は個人の家の内部にネット通販というかたちで入り込み、ネット・ショッピングの「履歴」をアルゴリズムで処理することによって「次に買うもの」を示唆し、あるいは「命令」することで、現在は個人の内部にマーケットが侵入し始めたところだといえる。いわば「非人間的な力」＝「外」が肉体の内部へと入り込んできたことで「出かける」とか「欲しい」といった「欲望の主体」も履歴の集積と同じになってしまい、「その人らしさ」だとか固有の「人間性」もマーケットに従属する反射神経のようなものになりかけているのである。スーパーなどで特売品の山が売れていくのを見ていると配給制度とどこが違うのだろうと疑問に思うことがよくあるのだけれど、個別の需要をくまなく操作し余剰を回避できれば資本主義的にはベストのはずだから、消費者の恣意的な「欲望」を上手くコントロールできれば、それに越したことはないと。資本主義の「加速」というのはそういうことではないだろうか。

であれば「加速主義」の先には革命もなければカタストロフィもない。右でも左でも加速主義が期待する価値観の転倒など起きないと思う。ディズニーランドではすべての来園者が主体的に行動していると思い込めるところが恐ろしいことであり、筆者は何回となくディズニーランドで疎外感を味わおうと試みたものの、どうしてもそれは不可能であった。いくらでも抜け道があり、ディズニーランドで遊ぶという目的を共有している限りは自分の行

動になにひとつ制限はなく、とはいえ、全体的にはまんまと管理されているのがディズニーランドである。ディズニーランドのなかにいてディズニーランドを批判することは非常に難しく、オルタナティヴは存在しようがない。この世界を良くしようと呼びかけること自体がナンセンスだし、不満があるなら外に出ればいいだけのこと。資本主義にはしかし、「外」がない（以下、略）。

「加速主義」と聞いて、最初に僕が思い浮かべたのは、「最下層がまず薙ぎ倒される」というイメージだった。そんなものに加担するのはマズいのではないかと。資本主義というよりも新自由主義がもたらした競争原理の拡大と、それによって労働状況から安定感が失われている現状がそう思わせただけで、「闘争領域の拡大」や「万人の万人に対する闘争」の激化を思い浮かべてしまったのである。そして、それは資本主義の加速ではなく、ウイルスの感染拡大に伴って生じた資本主義の「減速」によって現実のものとなった。資本主義の「減速」は派遣社員や非正規を絵に描いたように直撃し、日本でも悲惨な報道が途切れることなく続き、ゴールドマンサックスは5月13日にアメリカの失業率は大恐慌並みの25％にも達すると予想。また、これまでマック・ジョブだとか「お前の代わりなどいくらでもいる」と蔑まれてきた「ワーキング・プアー」を「エッセンシャル・ワーカー」などと言い換える偽善が飛び交い（米ではヒーロー手当が時給2ドル追加された）、同時に資本主義がいかに低賃金労働者を「生かさず殺さず」の状態に置いてきたかをさらけ出すこととなった。1ヶ月として休ませない構造が出来上がっていただけでなく、日本では行政レヴェルにおける差別意識があることも広く知れ渡るところとなり、弱者を支援する声がかつてなく高まる一方、10万円の給付を喜ぶ人たちが同じ口でネットカフェの住人たちに投げつける罵倒は映画『パラサイト』そのままに「弱者が弱者を叩く」構図をきれいになぞるものとなった。いくらでも例はあげられる。いずれにしろ見当違いの方向だったとはいえ、加速主義が期待していたカタストロフィが起きたのである。



多くは悲劇だけれど、石油の減産や航空需要の急減、企業と富裕層の祭典としか思えなかった東京２０２０が盛大に躓くなど経済活動の中心にストップがかかり、資本主義のオルタナティヴに道が拓けたところはむしろ評価したい。大気汚染が解消されてｐｍ２・５が劇的に減ったことで健康を回復した人も多ければ、ＮＹなどの大都市で交通事故ゼロの記録が伸び、市場に商品が出回らなくなったために人々が手作りのマスクをつくり始めたことは人々が資本主義の外側に出る大きなアクションにも見えた。コムアイは物々交換が増えて貨幣経済の存在感が薄まったといい、住宅地にフード・バンクが自然発生したり、これも例には事欠かない。ヒマになった芸能人が自宅からリモートでメッセージを発するのはなんか違うと違和感を表明したのはマイリー・サイラスで、確かに日本のそれは事務所主導のニュアンスが滲み出たりと必ずしも自発性に裏打ちされているばかりとは思えず、マドンナやエレン・デジェネレスのように格差を意識させるだけで逆効果になったセレブもいた。あるいはロックダウン初日に手話を勉強するとＳＮＳに投稿したハリー・スタイルズには感服もした。飛沫を飛ばさずにコミュニケーションする方法を模索するのは物事の本質を理解していなければ思いつかないことだから。

アメリカでＵｂｅｒが「ウーバーに乗らないでくれてありがとう」というＣＭを放送したことも象徴的だった。感染リスクを無視して、稼ぎたい人には好きなだけタクシー業務を遂行されてしまい、労働者＝個人事業主という仕組みの上に成り立っていたギグ・エコノミーを統制できなくなってしまったのである。「奴隷がいないと主人は存在できない」というヘーゲルの弁証法がここには変形して立ち現れている。資本と労働の関係が一方向の関係ではないということをリマインドされたようなもので、エッセンシャル・ワーカーがインフラを維持しなければ「主人」たちは生活ができなくなるという事態が歴然としたことは確か。もちろん、南の海でプカプカと過ごしている富裕層は多い。プライベート・ジェットの需要もうなぎのぼりだそうである。が、ブラジルではメイドたちが逃げてしまったために富裕層は生まれて初めて自分で料理をしなければならなくなり、いくらでもいるはずだった「お前の代わり」が自分になってしまったり（このことは中長期的にロボット化の促進を促すだろうけど）、イタリアの一部ではマフィアが住人たちに食料を配っていると聞く。そのようにして資本主義の減速は「加速主義」が想定していなかった「主人」たちへのダメージも多少は引き起こした。飲食店であれば、大きな面積の店ほど家賃が重くのしかかり、広大な面積を電波上に占めていた「電通」はＴＶ番組の崩壊で想像を絶するマイナスを抱え込んだに違いない。いまの世の中、予定が立てられる方が大体において勝ちだったはずが、情報省とでも呼べる存在として経済界に君臨し、先手を打つことができる位置にいたことが裏目に出たといえる。

格差社会の問題は新自由主義やグローバル経済の弊害として何度も議論されてきたことだから、「下」と「上」は早くから可視化されやすかった。それこそコロナ・パニックに後押しされて一気に問題意識が一般へと浸透し、政府の「補償」に是非を問う声すら上がらなかった。毎晩のようにＮＨＫニュースを見ていて、いつもは深夜にこそこそと議論されていたテーマがまとめて早い時間帯に上がってきたという印象があり、実際に様々な補償にたどり着いたことは一貫して「自己責任」を掲げてきた安倍政権に対する社会主義的な勝利だったといえる。必ずしも額が充分でなかったとはいえ、これらのプロセスは既成事実として今後も政治性を左右することになるだろう。そして、格差問題とは別に、コロナ・パニックに後押しされ、この時を好機と見た逆転劇がほかにもあった。鬱が治ったり、不登校児がオンライン授業に活路を見出し、自殺者が20％も減少したことである。あるいは、このところ目につく「消えたい」や「早く寿命が来ないかな」といった無力感や漠然とした自己否定の感情にも多少の変化があったのではないだろうか。人生は牢獄に等しく、面白みもなければ、なにひとつ変化は期待できない。それこそ体内に入り込んできたマーケティングによって何を消費するか、どう生きるか、限られた収入の中で選択肢は少なく、自分の未来は大体想像がつくというような「再帰的無能感」（マーク・フィッシャー）から一瞬でも抜け出せたというか。その人たちの目の前で資本主義の減速が起こり、レールが歪んだのである。日本では18%の実施率だと言われるリモートワークなどで塩漬けになった人間関係から解放されたという声も少なからずあり、変化に対する期待が生まれたことは大きい。「元の日常」などに戻って欲しくないと思っている人はきっとそこかしこにいる。繰り返すけれど、コロナ休業で苦しい人たちがいるのはわかっている。そこから新たな鬱が発生していることもわかっている。そうした人たちが順調に資本主義の一員として動き回っていた時に、しかし、現在のものと同じようなプレッシャーを感じていた人たちがいて、使いものにならない自分を責め、悪くすれば自己存在の意義を問い、ベリアルやシガー・ロス（註）が表現したメランコリーに身を任せるしかなかったこと。出口のないディズニーランド。面白がれない人にはどうしようもない場所。しかし、コロナ禍によって現実のディズニーランドも休園を余儀なくされ、驚くほど世界は停滞し、人々が優しく手を差し伸べ合う光景をあちこちで見ることができた。そう、自殺したマーク・フィッシャーはあと3年と1ヶ月、耐えるべきだった。「加速」というアイロニーではなく、資本主義の「減速」を体験できたのだから。

　コロナ休みが終わってしまう。明日にも緊急事態宣言は東京でも解除されるらしい。夏休みが終わる9月1日に自殺が多いと言われるように、コロナ騒ぎが幕を引けば自殺者のスコアは元の数字に戻ってしまうのだろうか。多くの人が望む「元の日常」。あるいは以前よりも殺気立った資本主義の再起動？

（5月25日）

註　ベリアル（Burial）はUKのダブステップ・シーンのアーティストで、ダンス・ミュージックでありながらその悲しい曲調に特徴を持つ。『資本主義リアリズム』で知られる批評家マーク・フィッシャーにインスピレーションを与えた。シガー・ロス（Sigur Rós）はアイスランドのロック・バンドで、やはりダークなサウンドに特徴を持つ。

## 編集後記

日本の10万人あたりの死者数は、アジアではフィリピンに次いでワースト2位（5月21日）で、そもそもウイルスの型が違っている欧州の状況と比較して話を進めるのはいかがなものだろうか。とにかくこの2ヶ月、ニュースやネットでは、発見されてからまだ1年も経っていないウイルスをめぐって、喧々ゴウゴウと諸説が飛び交っている。いま確実にわかっていることは、ワクチンが普及するか集団免疫ができるまで、普通に生活している人には感染のリスクがあることと、持病さえなければだが、たとえ感染したとしても医療体制が整っていればそれほど恐れることはないということだろう。そして今、人種差別をうながすような発言をしてきたトランプ政権下のアメリカでは、大きな抗議デモと暴動が起きている。以前からあった黒人の貧困問題や差別がいっきに噴出したと見るべきだろう。現地の人の話によれば、ほとんどのデモは平和的だが、ニュースは暴力的なシーンのみを反復すると嘆いていた。コロナが導いた新しい現実はこの先どうなっていくのだろうか。

末筆ながら、ご多忙のなか取材に応じてくれた諸氏および執筆者諸氏、多大なお力添えをいただいた土田修氏、そもそもこの企画のきっかけとなったイーノとヴァルファキスとの対談の掲載を快諾してくれたDiEM25と、編集初期段階でその荒訳を提供してくださった坂本麻里子氏、ならびにビートインクのレイ・ハーン氏には深く感謝を述べておきたい。ありがとうございました。（編集部）

ele-king 臨時増刊号
コロナが変えた世界
2020年7月8日　初版印刷
2020年7月8日　初版発行

編集　野田努＋小林拓音（ele-king）
編集協力　土田修
協力　坂本麻里子、ビートインク
装丁　渡辺光子

発行者　水谷聡男
発行所　株式会社Pヴァイン
〒150-0031
東京都渋谷区桜丘町21-2 池田ビル2F
編集部：TEL 03-5784-1256
営業部（レコード店）：TEL 03-5784-1250
FAX 03-5784-1251
http://p-vine.jp

発売元　日販アイ・ピー・エス株式会社
〒113-0034
東京都文京区湯島1-3-4
TEL 03-5802-1859
FAX 03-5802-1891

印刷・製本　シナノ印刷株式会社

ISBN 978-4-909483-57-7